Le petit Fortin

Responsable de la collection : Ginette Haché
Directrice artistique : Jocelyne Fournel
Directrice de la production : Lucie Daigle
Révision-correction : Claude Aubin, Chantale Cusson, Dominique Pasquin

Les Éditions Rogers Limitée
1200, av. McGill College, bureau 800
Montréal (Québec) H3B 4G7
Téléphone : 514-843-2564

Direction : Carole Beaulieu, Catherine Louvet
Gestion des affaires : Geneviève Cimon
Gestionnaire, division livres : Louis Audet

Le petit Fortin : L'économie du Québec racontée à mon voisin
ISBN : 978-0-88896-661-2
Dépôt légal : 3e trimestre 2013
Bibliothèque et Archives nationales du Québec, 2013
Bibliothèque et Archives Canada, 2013

Imprimé en août 2013, au Québec

Diffusion : Messageries de presse Benjamin inc.
Impression : Imprimerie Transcontinental Interglobe, Beauceville, Canada

La plupart des idées fondamentales de la science
sont fort simples et, en règle générale, elles peuvent
s'exprimer dans un langage accessible à tous.

— Albert Einstein —

Pourquoi ce livre?

Les manchettes économiques vous rebutent? Vous fuyez ces reportages pleins de chiffres qui montent et qui descendent, alors que votre portefeuille semble s'alléger et vos heures de travail s'allonger?

Lisez ce *Petit Fortin*!

Cet ouvrage n'a de petit que le nombre de ses mots. Il condense en des textes courts, accessibles à tous, un vaste savoir sur des questions économiques souvent jugées complexes. À cet égard, il est grand!

Ce *Petit Fortin* regroupe une cinquantaine de chroniques sur les quelque 120 qui ont été publiées depuis 13 ans dans les pages du magazine *L'actualité* par l'économiste Pierre Fortin, professeur émérite de l'UQAM, qui a aussi pour ambition de rendre l'économie à ceux qui la font: nous tous.

Des garderies publiques aux universités en passant par le prix de l'essence ou de la santé, la souveraineté alimentaire ou le prix unique du livre, peu de sujets ont échappé au regard inquisiteur et parfois espiègle de cet économiste chevronné.

Loin des concepts qui assomment, des analyses qui s'enlisent et des exagérations qui embrouillent, cet ouvrage raconte l'économie du Québec telle qu'elle pourrait être! Il est destiné à tous ceux qui veulent comprendre et qui s'intéressent à l'avenir du Québec. *Le Petit Fortin* apporte des éléments de compréhension qui enrichiront les discussions entre voisins, parents ou amis.

Car l'économie ne doit pas être laissée aux experts, même si parfois, devant la rapidité des transformations — chômage des jeunes en Europe, délocalisation des entreprises, montée de l'Asie, soubresauts boursiers —, l'envie de « laisser ça aux spécialistes » est grande.

Il faut résister.

L'économie est au cœur de tous les grands débats politiques qui agitent nos sociétés modernes. Pour protéger l'environnement, combattre la fraude et la corruption, développer la culture... il faut comprendre les leviers économiques !

Il est grand, ce *Petit Fortin*. Il vous redonnera courage. Car l'économie appartient aux citoyens. Pour qu'ils se l'approprient, y contribuent et la transforment, en faisant des choix éclairés, ils doivent commencer par comprendre.

Pierre Fortin leur en donne ici les moyens.

Carole Beaulieu,
rédactrice en chef et éditrice de *L'actualité*

CHAPITRE 1 // UN PEU DE PHILOSOPHIE

Le capitalisme est-il immoral ?

Nos grands-parents jugeaient l'économie capitaliste avec beaucoup de sévérité. À leurs yeux, un système économique qui avait engendré la Grande Dépression des années 1930 et dont le contrôle appartenait au capital anglo-protestant était au mieux suspect, au pire condamnable. Le salut était dans l'État et les syndicats catholiques. Mais depuis 30 ans, la Dépression a été oubliée et le capital s'est francisé. Maintenant, l'opinion répandue est que l'État est un dinosaure pataud et que les syndicats sont contrôlés par de hauts salariés assis sur leurs droits acquis. Vive le privé.

Or, de nombreux événements des deux dernières décennies remettent en question l'efficacité et la moralité du système capitaliste. Aux États-Unis, sous Reagan, la déréglementation des sociétés de crédit hypothécaire — les *savings and loans* — a entraîné un scandaleux pillage des fonds des déposants qui a coûté 200 milliards de dollars aux contribuables. En Russie, le seul pays où le capitalisme sans contrainte fonctionne à l'état pur, on voit se répandre le banditisme et la corruption. Au Japon, la vieille habitude des banques de prêter aux entreprises dont elles sont actionnaires en a conduit certaines à la déchéance. En Angleterre, un relâchement de la surveillance financière a provoqué plusieurs faillites majeures. Dans leurs usines des pays en voie de développement, des sociétés respectables des pays avancés tolèrent des conditions de travail insalubres et la pollution libre-service.

Et quoi encore ? Des entreprises de service comptable vérifient les états financiers de sociétés dont elles sont elles-mêmes des actionnaires importantes. Des gestionnaires contrôlant leurs conseils d'administration s'octroient des primes de rémunération sans lien avec leur rendement, au détriment des actionnaires ordinaires. Dans nos industries culturelles, les manœuvres bizarres auxquelles on s'adonne pour obtenir et dépenser les fonds de l'État font l'objet d'une enquête. Le travail autonome connaît un essor remarquable, en bonne partie parce qu'il facilite la déduction fiscale (illégale) de toutes sortes de frais – comme les achats de meubles pour la maison ou le salaire de la gardienne des enfants.

Alors ? Faut-il rejeter de nouveau l'économie capitaliste et remettre l'État sur un piédestal ? Si vous êtes comme moi, vous n'en avez guère envie. Aucun système n'est sans reproche. Nous savons tous que notre régime capitaliste doit faire face à de graves problèmes d'éthique. Mais nos gouvernements ont aussi des problèmes, d'éthique et d'efficacité. La seule réaction intelligente consiste à chercher à les améliorer tous les deux.

Le capitalisme est un système d'organisation économique qui a pour mission de gérer la cupidité humaine. Dans son intention profonde, il vise à accorder aux gens le maximum de liberté et de responsabilité dans leurs échanges économiques. En même temps, il veut faire en sorte que la recherche du profit personnel serve le bien-être collectif. Ses deux instruments d'action sont le respect du droit de propriété et le maintien de la concurrence. Le droit de propriété permet de lutter contre son voisin, mais interdit de l'escroquer. La concurrence a pour objectif de soumettre l'entreprise à la pression de ses compétiteurs et de la forcer ainsi à déployer son esprit d'innovation, à maintenir son prix de vente le moins élevé possible et à payer des salaires convenables – plutôt que d'exploiter ses clients et ses employés. Cela fait de notre système une machine formidable, bien qu'évidemment imparfaite, à créer et à répartir la richesse.

Le capitalisme a donc deux ennemis à combattre : la fraude et le monopole. Aux États-Unis, on a poursuivi et condamné il y a quelque temps cet escroc des obligations à haut risque – les *junk bonds* –, Michael Milken ; aujourd'hui, la société Microsoft, du célèbre Bill Gates, est reconnue coupable d'avoir violé les lois antimonopole. Nous avons nous aussi nos fraudeurs et monopoleurs locaux. À mesure que notre classe d'affaires se développe et s'enrichit, ces derniers deviennent plus nombreux et plus gros. Il faut renforcer la vigilance et les traiter sans complaisance.

Mais il faut aussi surveiller l'État et les syndicats. Des institutions comme Hydro-Québec, la Régie de l'assurance maladie, le ministère de l'Éducation, la Régie des rentes, la Société des alcools et les syndicats (qui détiennent le monopole de représentation des employés) nous procurent des avantages certains. Mais elles exercent en même temps un pouvoir de contrainte considérable sur la liberté des gens. Leur propension à innover et à exceller n'est pas toujours évidente. Il est aussi important de remettre en question leur pertinence et leurs pratiques que de poursuivre les fraudeurs et les monopoleurs des milieux d'entreprise. (La version originale de ce texte a été publiée en mai 2000.)

L'argent fait-il le bonheur ?

Les philosophes de l'Antiquité avaient coutume de répondre qu'un minimum de confort matériel était nécessaire, pour manger, se vêtir, se loger et se soigner convenablement. Mais qu'au-delà de ce minimum seules la vie de l'esprit, la pratique du bien et l'harmonie des rapports sociaux permettaient d'atteindre le bonheur. Nous redécouvrons aujourd'hui que ces vieux sages avaient raison.

Le dernier demi-siècle a vu le revenu moyen par habitant tripler en Amérique du Nord et sextupler au Japon. Toutefois, dans les deux cas, le pourcentage des gens qui se disent vraiment heureux est demeuré inchangé, à environ un tiers de la population. Nous sommes beaucoup plus riches qu'en 1950, mais pas plus heureux.

Le professeur John Helliwell, de l'Université de Colombie-Britannique, vient de mettre en lumière les résultats d'une enquête mondiale sur les valeurs. On a demandé à 88 000 personnes de 46 pays si elles trouvaient leur vie satisfaisante. On a découvert que, dans les pays pauvres, plus le revenu national par habitant est élevé, plus la population dit ressentir un niveau de bien-être élevé. Là où la majorité des habitants sont étranglés par le manque d'argent, la moindre hausse de revenu soulage leur misère. Mais l'enquête révèle aussi que, dans les pays riches disposant d'un revenu par habitant de 18 000 dollars canadiens ou plus, l'effet favorable de l'enrichissement collectif disparaît.

Cela veut dire que les gens ne sont pas plus heureux aux États-Unis (32 000 dollars par habitant) qu'au Canada (25 000), aux

Pays-Bas (23 000) ou en Nouvelle-Zélande (19 000). Le Programme des Nations unies pour le développement avait déjà deviné ce résultat. L'indice de développement humain qu'il publie depuis une décennie met en sourdine la performance économique des pays riches. C'est pourquoi le Canada se classe très bien selon cette mesure et peut prétendre au titre de « plus meilleur pays du monde », malgré un revenu par habitant très inférieur à celui des États-Unis.

Pourquoi plus d'argent ne rend-il pas plus heureux dans les pays riches ? Indéniablement, une bonne augmentation de salaire me procure dans l'immédiat une sensation de bien-être accru. Je peux enfin envisager d'acheter ces nouveaux vêtements, cette nouvelle voiture, cette piscine creusée, ce billet d'avion pour l'Espagne. En même temps, mon revenu plus élevé me fait grimper dans l'échelle sociale. Mais cette montée de bien-être finit par s'estomper pour deux raisons.

Premièrement, je m'habitue vite à mon nouveau train de vie. Mon excitation initiale ne dure pas. (Nombre d'enquêtes montrent que même gagner à la loterie ne procure qu'une exaltation passagère.)

Deuxièmement, je constate habituellement que mon ascension sociale est illusoire. Car il est fort probable que mon voisin obtiendra lui aussi une augmentation de salaire et qu'il me rattrapera. Fin de l'illusion. Et même si sa paye augmente moins que la mienne, le jeu auquel nous jouons est, de toute façon, à somme nulle. Je monte d'un cran dans l'échelle sociale, mais lui baisse d'un cran. Ma satisfaction est annulée par son insatisfaction. La société dans son ensemble n'est pas plus heureuse.

L'enquête sur les valeurs étudiée par John Helliwell conduit à un diagnostic sans pitié pour nos sociétés industrielles dites « avancées » : notre appétit de croissance économique, de biens matériels et d'un statut social supérieur est excessif. Il ne mène pas au bonheur, mais nous fait tourner en rond comme le chien qui court après sa queue, en plus de mettre en danger l'intégrité de l'environnement naturel de la planète.

Si l'argent ne fait pas le bonheur, qu'est-ce qui rend les gens heureux ? L'enquête nous renseigne là-dessus. En quelques mots : une bonne santé, un emploi stable, une bonne relation de couple, une éthique solide, la foi en Dieu, un engagement dans la collectivité, un réseau social fiable, une société libre. Le meilleur programme de gouvernement serait celui qui soutiendrait ces valeurs. Il agirait préventivement en matière de santé physique et mentale, assurerait le plein emploi, investirait dans la famille, combattrait toute forme de corruption, lutterait contre la pauvreté, encouragerait la coopération et l'entraide, aiderait les réseaux locaux à se développer, protégerait les libertés fondamentales.

Ce qui correspond à peu près à ce que disaient les philosophes de l'Antiquité. (La version originale de ce texte a été publiée en février 2004.)

Myopes comme des taupes

L'une des plus graves difficultés de nos démocraties est l'incapacité des dirigeants politiques d'avoir une vision et d'adopter des mesures qui dépassent un horizon de deux ou trois ans. Leur comportement est complètement dominé par la pression électorale. Ils ne sont pas les seuls coupables. Nous-mêmes, les électeurs, encourageons pleinement leur myopie. La plupart du temps, nous appuyons les politiciens qui nous « flattent dans le sens du poil » à court terme en nous promettant des baisses d'impôt ou de nouveaux services publics « gratuits ». Ceux qui ont le culot de nous proposer des sacrifices aujourd'hui afin d'empêcher l'éclatement d'une crise plus tard, nous ne les récompensons pas. Nous les punissons.

Les exemples abondent. Depuis 10 ans, aux États-Unis, la réglementation immobilière en vigueur était tellement laxiste qu'elle a littéralement permis aux institutions financières de prêter de l'argent à des itinérants, sans vérification de crédit, pour qu'ils s'achètent des maisons. (Je n'ai rien contre les itinérants. Ce sont les fous qui leur ont avancé le fric avec la complicité des autorités réglementaires qui m'énervent.) Des centaines d'observateurs ont averti les autorités américaines que la déréglementation du prêt hypothécaire était allée trop loin et que le niveau de risque permis faisait peser une menace grave sur l'ensemble du système financier. Mais l'administration Bush a refusé d'agir tant que la crise n'a pas éclaté. Combien cela va-t-il coûter maintenant aux contribuables américains ? Mille milliards de dollars ? Mille cinq cents milliards ?

Au Québec, on a attendu qu'il y ait des morts sous le viaduc de la Concorde, à Laval, avant de comprendre qu'il fallait investir un peu plus d'argent dans la réparation de nos infrastructures. Ces morts, ce sont les politiciens québécois et nous-mêmes qui en sommes responsables. Pendant des années, malgré les avertissements répétés des ingénieurs, les autorités provinciales ont restreint les budgets qui devaient aller à l'entretien des ponts et des viaducs afin de procurer à tel ministre ou à tel premier ministre le financement requis pour telle mesure fiscale ou tel nouveau projet de dépense. Il fallait nous plaire à nous, les électeurs, naturellement.

Une autre crise s'annonce pour bientôt au Québec, cette fois en santé. D'ici 2030, le nombre de Québécois âgés de 65 ans et plus passera de 1,1 million à 2,1 millions, et celui des gens actifs de 20 à 64 ans baissera de 200 000. C'est facile à prévoir : ces personnes sont déjà nées, on peut les compter dès aujourd'hui. Un peu plus d'immigration n'y changera pas grand-chose. Il est parfaitement clair que ces modifications démographiques accroîtront la demande de soins de santé et de services sociaux et comprimeront les revenus fiscaux de l'État québécois.

La capacité actuelle de notre système de santé et de services sociaux de répondre à la demande vous préoccupe ? Vous n'avez encore rien vu. Je n'ose même pas prédire comment nos politiciens et nos concitoyens réagiront quand il faudra ajouter annuellement trois milliards de dollars au budget de la santé de l'année précédente. Les impôts vont-ils augmenter ? L'État étant à bout de souffle, le privé s'emparera-t-il du secteur de la santé ? Qu'arrivera-t-il à l'éducation, à la famille, à la solidarité, aux transports, à la justice, aux villes et aux régions quand le budget du Québec sera soumis au régime SBF (« santé bouffe tout ») ?

Ici encore, les avertissements et les suggestions de correctifs financiers n'ont pas manqué depuis quelques années. Les deux dernières études commandées par le gouvernement, les rapports Ménard et Castonguay, en sont remplies. Mais à Québec, on n'en tient pas compte. Le ministère de la Santé et des Services sociaux ainsi que ses alliés extérieurs se complaisent dans le déni le plus total : pas de problème, tout va bien, on s'en occupe. Ménard et Castonguay, à la poubelle.

Encore une fois, on ne fera rien tant qu'une crise majeure n'aura pas éclaté. (La version originale de ce texte a été publiée en février 2009.)

POUR EN SAVOIR PLUS

Les changements démographiques et leurs effets attendus sur les finances publiques du Québec sont décrits dans le livre *Oser choisir maintenant,* par Luc Godbout, Pierre Fortin, Matthieu Arseneau et Suzie St-Cerny, publié aux Presses de l'Université Laval en 2007.

Le scandale de la richesse extrême

En 30 ans, la concentration de la richesse s'est énormément accrue aux États-Unis. En 1977, la tranche de 1 % de la population américaine qui avait le niveau de richesse le plus élevé absorbait 9 % du revenu de la nation. En 2007, ce centile le plus riche des Américains en drainait 24 %. Presque le quart ! La crise financière a fait un peu diminuer ce pourcentage, mais il remontera dès que la reprise sera en marche.

Deux groupes surtout font la manchette : les opérateurs financiers et les dirigeants d'entreprise. En plus de leurs salaires directs, ils obtiennent toutes sortes d'avantages indirects : des primes, des actions, des options d'achat d'actions, des retraites en or. Il ne s'agit pas d'exceptions, mais d'un phénomène de société qui touche non seulement des financiers et des dirigeants d'entreprise, mais aussi près d'un million et demi de cadres supérieurs, de professionnels, d'athlètes et d'artistes.

Mais attention : la situation des riches au Québec n'a absolument pas suivi la tendance observée aux États-Unis. Bien sûr, les Québécois les plus riches ne sont pas pauvres ! Mais la tranche de 1 % des Québécois les plus riches est trois fois et demie moins riche que son pendant américain. Après impôts, en 2007, le Québécois qui faisait partie de ce plus haut centile de revenu disposait en moyenne de 235 000 dollars ; cette année-là, aux États-Unis, le membre de cette classe privilégiée empochait l'équivalent de 840 000 dollars canadiens.

Pourquoi les riches du Québec sont-ils des nains lorsqu'on les compare aux riches des États-Unis ? Pour trois raisons. La première est qu'au Québec le gâteau à partager est moins gros de 33 %. La richesse globale ne fait pas le poids. La deuxième raison est que les riches du Québec sont deux fois moins voraces que ceux des États-Unis. Non seulement le gâteau est plus petit au Québec, mais en 2007, la tranche de 1 % des Québécois les plus riches n'en absorbait que 11 %, et non pas 24 %, comme le centile correspondant des Américains les plus riches. La troisième raison est que les riches du Québec sont plus imposés que ceux des États-Unis. Au Québec, si on appartient au plus haut centile de revenu, on paie 35 % de son revenu total en impôts ; aux États-Unis, ce n'est que 28 %.

Dans les autres provinces canadiennes, les riches occupent une position intermédiaire entre ceux du Québec et ceux des États-Unis. Hors Québec, en 2007, le revenu après impôts de la tranche de 1 % des Canadiens les plus riches était de 405 000 dollars en moyenne. C'est beaucoup plus que les 235 000 dollars du centile le plus riche du Québec, mais beaucoup moins que les 840 000 dollars du centile le plus riche des États-Unis.

Pourquoi les riches se détachent-ils littéralement du peloton aux États-Unis depuis 30 ans ? Les causes sont sans doute diverses. Les cadres supérieurs se « vendent » plus facilement à n'importe qui, les syndicats se sont affaiblis, la gouvernance des entreprises s'est dégradée — on ne sait trop.

Difficile de comprendre aussi pourquoi ce phénomène est surtout anglo-saxon. Il a frappé les États-Unis et la Grande-Bretagne, mais pas l'Europe continentale, la Scandinavie, le Japon ou le Québec.

Quelle que soit l'explication, personne ne peut nier que la concentration immodérée de la richesse, là où elle ne paraît pas « méritée », menace de détruire le minimum de confiance que les gens doivent accorder au système économique pour qu'il fonctionne de manière socialement acceptable.

Un correctif envisageable consisterait à réviser l'imposition des riches à la hausse. On pourrait revenir à la règle d'avant 1980. À l'époque, on appliquait un taux d'imposition de 60 % ou 70 % aux tranches de revenu dépassant un certain seuil, par exemple 500 000 dollars. Il serait évidemment téméraire pour le Canada de s'engager seul dans cette voie, car une telle mesure risquerait de déclencher une désastreuse fuite de capitaux à l'étranger. Il faudra attendre que les Américains, qui connaissent le problème de concentration de la richesse le plus criant, se décident à agir.
(La version originale de ce texte a été publiée en avril 2010.)

POUR EN SAVOIR PLUS
Pour connaître l'évolution des inégalités de revenu dans les pays développés depuis 100 ans, on peut commencer par consulter le site Web de l'économiste français Emmanuel Saez, professeur à l'Université de Californie à Berkeley : elsa.berkeley.edu/~saez.

CHAPITRE 2 // ENTREPRISES, TRAVAIL ET MAIN-D'ŒUVRE

Rentable, le syndicalisme ?

En 2004, au Québec, 1 300 000 travailleurs, soit 40 % de l'ensemble des salariés, ont bénéficié de la protection d'un syndicat. Leur salaire *médian* était de 19,23 $ l'heure. En d'autres termes, la moitié des syndiqués ont gagné plus que 19,23 $ l'heure et l'autre moitié, moins que ce tarif. Les 1 900 000 autres salariés québécois – 60 % du total – n'étaient pas syndiqués. Leur salaire médian à eux était de 13,83 $ l'heure. Le salaire médian du secteur syndiqué (19,23 $) dépassait donc celui du secteur non syndiqué (13,83 $) de 39 %. Si on ajoute les avantages sociaux aux salaires, l'écart favorable aux syndiqués grimpe à 50 %. La moitié des syndiqués font partie du tiers le plus hautement rémunéré de tous les salariés du Québec.

Environ la moitié de l'écart de rémunération de 50 % entre syndiqués et non-syndiqués s'explique par le fait que les syndicats recrutent une forte proportion de leurs membres dans des groupes de travailleurs qui seraient bien rémunérés même sans appui syndical. La reconnaissance du syndicat est plus facile à obtenir dans les grandes organisations et parmi les travailleurs très scolarisés. On n'a qu'à penser aux grandes entreprises des secteurs des mines, de l'aluminium, du papier, de l'aéronautique et de l'électricité, et aux grands services publics comme la santé, l'éducation et l'administration gouvernementale. Les diplômés d'université sont d'ailleurs beaucoup plus nombreux que ceux du secondaire à jouir de la protection syndicale (44 % contre 35 % en 2001).

L'autre moitié de l'écart de rémunération favorable aux syndiqués résulte de l'action syndicale proprement dite. Par le jeu de la négociation collective, les syndicats vont chercher pour leurs membres des conditions de travail supérieures à celles qu'on obtiendrait sans appui syndical. Naturellement, les résultats varient d'un secteur à l'autre. Les travailleurs de la construction, du papier, de l'agroalimentaire, du transport et du secteur public en sortent nettement gagnants. Les travailleurs des mines, du textile, du vêtement, de la machinerie et de la finance font des gains plus modestes.

Mais d'où vient cet argent ? Il sort de la poche des employeurs. Pour eux, deux stratégies sont possibles. La première se résume à prendre l'argent dans la poche de quelqu'un d'autre : augmenter le prix de vente, diminuer le rendement aux actionnaires ou, pour l'État employeur, taxer plus lourdement les contribuables. C'est une stratégie perdante. Elle appauvrit les consommateurs, fait fuir les investisseurs, fait enrager les contribuables et affaiblit l'investissement et l'emploi.

La seconde stratégie consiste à améliorer la productivité. Mieux former la main-d'œuvre, réorganiser le travail, mettre en place de nouvelles technologies, lancer de nouveaux produits. Cette approche est gagnante. Elle favorise la création de richesse et d'emplois. Mais elle n'est possible que dans un climat général de confiance qui respecte le rythme de création de richesse de l'entreprise.

Au Québec, selon les époques, le climat des relations de travail a été marqué par l'affrontement (première stratégie) ou par la coopération (seconde stratégie). La performance générale de l'économie a été très sensible à ce climat. Par exemple, le Québec de 1965 à 1985 a vécu des années de conflits sociaux extrêmes. Son taux de chômage a été porté à un niveau absolument sans précédent par rapport au reste de l'Amérique du Nord — 4 % plus élevé qu'en Ontario. Depuis 20 ans, au contraire, les relations de travail se sont grandement améliorées. Le Québec a perdu son titre de champion mondial des grèves et lockouts. Les syndicats ont pris le virage de la formation des membres et de la productivité. Le patronat s'est adapté de bonne grâce au nouveau partenariat. Résultat: le taux de chômage est redescendu près de la moyenne canadienne.

Tout cela confère une grande responsabilité collective aux instances patronales et syndicales. Il ne faudrait pas que cette responsabilité soit évacuée du paysage au moment où les négociations entre le gouvernement du Québec et ses employés entreront dans leur phase ultime, cet automne. Il faut éviter de relancer le Québec sur la voie de l'affrontement politique. Car l'histoire récente a démontré que c'est aussi la voie du dérapage économique et social.

(La version originale de ce texte a été publiée en septembre 2005.)

Handicap ou avantage?

ARTB est une entreprise de Saint-Joseph-de-Beauce et de Québec active dans le jointage de bois, l'entretien ménager et la sécurité. AFFI, de Saint-Hubert, répare des appareils électroniques et cuisine des plats pour les restaurants Commensal. Horisol, de Saint-Jean-Port-Joli, fabrique en partenariat des planches de clôture. Le Sextant, de Montréal, fait des produits de classement en carton pour le marché international. À Anjou, Abaco effectue en sous-traitance des travaux d'assemblage et d'emballage. Impressions Alliance 9000 produit des calendriers et des agendas à Amqui, dans la vallée de la Matapédia. À Lévis, Thetford Mines, Drummondville, Yamachiche, Saint-Hubert et LaSalle, six entreprises se sont associées pour former le plus important consortium de récupération au Québec, le Groupe des récupérateurs.

Rassemblés au sein du Conseil québécois des entreprises adaptées (CQEA), ces établissements font partie d'un réseau de 44 sociétés présentes partout au Québec. Elles procurent de l'emploi à 3 000 travailleurs handicapés et à 1 000 autres travailleurs qui les appuient. La direction est assumée par des entrepreneurs qui ont décidé de mettre leurs talents au service d'une cause. Cette formule est unique au Canada.

L'idée de base est toute simple. Au lieu d'abandonner les personnes handicapées avec une prestation d'aide sociale de 10 000 dollars par année, on s'emploie à mettre en valeur au maximum leurs capacités physiques et intellectuelles dans de vraies entreprises, qui fabriquent de vrais produits et offrent de vrais services. En

2005, les ventes réalisées par les 44 entreprises membres du CQEA leur ont permis de verser une rémunération globale de 85 millions de dollars à leurs 4 000 employés.

Les entreprises adaptées qui veulent réussir doivent être capables de produire et de vendre à des coûts et à des prix comparables à ceux des sociétés concurrentes, dont les employés sont exempts de limites fonctionnelles. Cet objectif serait évidemment impossible à atteindre sans une aide financière gouvernementale qui permette de combler le handicap de productivité que leur vocation sociale leur impose. C'est pourquoi, en 2005, Ottawa et Québec ont versé ensemble 43 millions de dollars aux entreprises adaptées.

Ces entreprises représentent une véritable aubaine pour le Québec. Tout le monde y gagne. L'employé handicapé permanent obtient un salaire annuel moyen de 18 000 dollars, soit beaucoup plus que les 10 000 dollars que lui accorderait l'aide sociale. Et surtout, son travail l'arrache à la solitude, améliore sa santé, lui fait rencontrer des amis, le rend autonome, bref, donne un sens à sa vie.

Pour l'économie du Québec, c'est un gros plus. En lui-même, le travail des 3 000 personnes handicapées fait augmenter de 30 millions de dollars la valeur de la production annuelle du Québec. Si on y ajoute le revenu annuel d'environ 15 millions engendré par les nouveaux investissements qui accompagnent l'emploi des travailleurs handicapés, on aboutit à un gain annuel total de 45 millions pour l'économie du Québec.

Cette addition de 45 millions au revenu intérieur enrichit les gouvernements de 18 millions en taxes et impôts supplémentaires. De plus, Québec économise 30 millions en prestations d'aide sociale qu'il n'a plus à verser aux 3 000 personnes handicapées qui sont au travail. L'aubaine, pour les gouvernements, est donc qu'ils gagnent 48 millions, alors que la subvention aux entreprises adaptées leur coûte 43 millions.

Les régions aussi sont gagnantes. Plus de la moitié des 44 entreprises adaptées sont situées hors des grands centres, et une bonne douzaine en région éloignée. Les coupes à blanc de la forêt et les mégaprojets artificiels, c'est fini. Dans l'avenir, le développement régional reposera sur un grand nombre de petits projets qui marchent, et non sur un petit nombre de grands projets qui foirent. L'entreprise adaptée s'inscrit parfaitement dans cette nouvelle orientation et elle ne coûte pas cher. Une subvention annuelle de un million à une entreprise adaptée, par exemple, soutient 20 fois plus d'emplois directs que la même subvention à une aluminerie.

Outre les 3 000 personnes handicapées qui travaillent dans des entreprises adaptées, le Québec en compte plus de 100 000 autres qui sont encore confinées à l'aide sociale. Alors, si c'est une bonne affaire pour tout le monde, pourquoi ne pas créer 100 autres entreprises adaptées d'ici 2020? (La version originale de ce texte a été publiée en juin 2006.)

L'immigration et nous

En 1988, tandis que j'étais enseignant à l'Université Laval, un gentil collègue suisse a voulu nous provoquer en affichant sur la porte de son bureau un article du quotidien torontois *The Globe and Mail* qui soutenait que les Québécois francophones étaient plus xénophobes que les autres Canadiens. J'ai failli « péter les plombs », mais je me suis ravisé. Je suis allé vérifier cette affirmation sur le terrain. Le professeur Denis Bolduc – aujourd'hui directeur du Département des sciences économiques de l'Université Laval – et moi-même avons alors examiné en détail les résultats d'un sondage sur les attitudes des Québécois à l'égard des immigrants.

Notre recherche a conduit à trois conclusions. Premièrement, dans la région de Montréal, où est concentrée l'immense majorité des immigrants du Québec, les francophones ne manifestaient pas plus de réticence que les anglophones à l'endroit des néo-Québécois. *The Globe and Mail* et le gentil collègue étaient, comme on dit, « dans les patates ».

Deuxièmement, lorsque les répondants au sondage, francophones ou anglophones, manifestaient une attitude négative à l'égard des immigrants, la distance et l'ignorance en étaient les principales causes. Lorsqu'on habitait à l'extérieur de Montréal, qu'on restait à la maison ou qu'on était moins scolarisé, on était moins favorable à l'immigration. Ce phénomène de résistance est universel et connu de tous les chercheurs. Il n'est pas plus répandu au Québec francophone qu'ailleurs.

Troisièmement, dans notre sondage, les francophones qui exprimaient une réserve envers les immigrants étaient surtout préoccupés par leur tendance à s'intégrer à la culture anglophone plutôt que francophone. Mais en 1988, la loi 101 avait à peine 10 ans. L'obligation pour les immigrants d'envoyer leurs enfants à l'école de langue française n'avait pas encore eu le temps de porter ses fruits.

Aujourd'hui, les choses ont considérablement évolué. Pour ne donner qu'un exemple, les deux tiers de mes étudiants actuels en macroéconomie à l'UQAM, université francophone par excellence, sont immigrants ou d'origine étrangère. Ils ressemblent en tout point à mes propres enfants. J'en ai vu aller à la chasse dans le Témiscouata. D'autres vont attendre le retour des oies blanches au cap Tourmente. Sur le plan politique, j'ai même pu vérifier, il y a quelque temps, que 50 % sont pour le Oui et 50 % pour le Non. Ils ne sont donc pas très différents de nous.

Mais, me direz-vous, qu'est-ce que cela a à voir avec l'économie ? Absolument tout ! La démographie, c'est la base de l'économie. La croissance économique repose sur la croissance de la population, qui, à son tour, dépend de la natalité et de l'immigration. Or, la natalité a chuté radicalement au Québec depuis 30 ans. L'immigration est donc plus importante que jamais. Les immigrants remplacent les enfants et les petits-enfants que nous n'avons pas eus. Ils nous aideront à assurer la pérennité du Québec économique comme du Québec français. Il suffit de leur faire une place.

Denis Bolduc et moi avons découvert un autre fait : les nouveaux immigrants sont plus convaincus que les Anglo-Montréalais traditionnels de la nécessité (et du plaisir) de parler français au Québec. Comme l'écrivain Neil Bissoondath, qui habite Québec, le disait il y a quelque temps aux lecteurs du magazine *Maclean's* : « Désolé, mais je n'ai vraiment pas besoin de votre compassion : j'adore ma vie d'immigrant "opprimé" à Québec. »

Tout récemment, le dramaturge Robert Lepage a proposé une explication simple de l'attitude souvent réservée de ses concitoyens de la région de Québec à l'égard des immigrants. Cette attitude, il ne l'attribue pas au racisme, mais à une réaction naturelle de peur ou de timidité devant ce qui n'est pas familier. Lepage a mis le doigt sur la vraie nature du phénomène. Son explication coïncide parfaitement avec les résultats de notre recherche statistique. Conclusion : si nous continuons de travailler ardemment à rapprocher les anciens et les nouveaux Québécois, ce qui reste d'attitudes négatives envers les immigrants s'estompera. Ce n'est pas gagné d'avance, mais au moins, on sait qu'on ne se bat pas contre un mur. (La version originale de ce texte a été publiée en décembre 2006.)

Paresseux, les Québécois ?

En octobre dernier, l'ex-premier ministre Lucien Bouchard a dit s'inquiéter du fait que, depuis 30 ans, les Québécois travaillaient moins que les autres Nord-Américains. Beaucoup de ses concitoyens ont très mal reçu ses propos. Ils ont eu l'impression de se faire traiter de paresseux plutôt que d'être vus comme des gens intelligents qui ont librement choisi de travailler un peu moins d'heures afin de passer plus de temps en famille ou entre amis, de pratiquer des sports, de lire, de sortir, de voyager. Qu'y a-t-il de mal à rechercher le bonheur plutôt que l'argent ?

Il faut comprendre leur sentiment. Mais il ne faut pas noyer la discussion dans un *happening* dominé par l'émotion. Oui ou non, est-il vrai que les Québécois travaillent moins que les autres ? Si oui, qu'est-ce qui explique cette évolution ? Et est-il souhaitable qu'ils se remettent à travailler davantage ?

Sur les faits, Lucien Bouchard a dit la vérité. Oui, les Québécois travaillent moins d'heures par semaine, moins de semaines par année et moins d'années dans leur vie active. En 2005, le salarié occupé à plein temps a travaillé une heure et quart de moins par semaine au Québec qu'en Ontario. Il s'est absenté (vacances, fêtes, congés, etc.) pendant 24 jours au Québec et pendant 20 jours en Ontario. Parmi la population âgée de 55 à 64 ans, 48 % des gens ont occupé un emploi au Québec, contre 58 % en Ontario.

Travailler moins que les autres retranche environ 7 % du niveau de vie des Québécois. Leur revenu par habitant (ajusté en fonction du coût de la vie) équivaut présentement à 92 % de celui des Ontariens. S'ils travaillaient autant d'heures que ces derniers, leur niveau de vie grimperait à 96 % du leur. Si, en outre, ils restaient au travail aussi longtemps qu'eux dans leur vie active, ils atteindraient 99 % du revenu de leurs voisins, presque la parité.

Cette coupe de 7 % de leur niveau de vie est-elle le prix que paient les Québécois pour leur paresse ? Jamais de la vie. Le meilleur contre-exemple est celui des travailleurs autonomes. Ils n'ont ni patron ni syndicat sur le dos. Ils échappent à l'oppression des grandes organisations. Et ils travaillent une heure et demie de plus par semaine qu'en Ontario. Il y a peut-être des paresseux au Québec (comme dans toute société), mais l'exemple des travailleurs autonomes démontre clairement que les Québécois ne souffrent pas du syndrome de la paresse généralisée.

Quand ils sont libres de choisir et qu'ils aiment ce qu'ils font, ils ne comptent pas les heures.

Mais d'où vient que les salariés, eux, travaillent moins d'heures au Québec qu'ailleurs ? Si on y regarde de près, on constate que le phénomène est observable dans différents secteurs de l'économie. Il n'y a pas de coupable en chef. Ce n'est pas la faute des femmes, des jeunes ou des syndicats. Les femmes travaillent moins d'heures que les hommes, et les jeunes moins que les adultes. Les syndicats, c'est connu, ne cherchent qu'à réduire le temps de travail. Mais ces tendances sont les mêmes au Québec qu'en Ontario. Il y a néanmoins des secteurs où la différence est frappante : ce sont ceux de la fonction publique, de la santé et de l'éducation. On y travaille en moyenne 110 heures de moins par année au Québec qu'en Ontario.

Dans l'ensemble, les Québécois paraissent plutôt satisfaits de travailler moins d'heures qu'on ne le fait ailleurs en Amérique du Nord. Peut-être parce qu'ils aiment davantage leur temps libre. Mais peut-être aussi parce qu'ils aiment moins leur temps de travail. Il faudrait essayer de comprendre pourquoi. J'ai une amie qui, dans la première partie de sa vie, a contribué comme syndicaliste à bâtir les grosses bureaucraties du secteur public. Dans la seconde partie de sa vie, elle est devenue cinéaste et produit des documentaires sur le syndrome de l'épuisement professionnel parmi les cadres des grosses bureaucraties. Il y a peut-être un lien entre les deux.

Pour vouloir travailler plus, il faut d'abord aimer ce qu'on fait, disposer d'un peu d'initiative et pouvoir compter sur d'autres gratifications que le dépôt direct et le Prozac. (La version originale de ce texte a été publiée en janvier 2007.)

Salaire minimum : le nécessaire compromis

Le 1er mai prochain, le gouvernement du Québec fera passer le salaire minimum de 7,75 $ à 8 $ l'heure. Cette décision équivaut à trois bonnes nouvelles. La première est que le salaire minimum du Québec rejoindra au sommet ceux de l'Ontario et de la Colombie-Britannique. Dans ces trois provinces, le salaire minimum sera le même, soit 8 $ l'heure. Mais les travailleurs au salaire minimum du Québec jouiront d'un important avantage sur leurs collègues ontariens et colombiens, parce qu'au Québec le coût de la vie est 15 % moindre qu'en Ontario et 10 % moindre qu'en Colombie-Britannique. Le salaire minimum du Québec procurera aux travailleurs au bas de l'échelle le pouvoir d'achat réel le plus élevé de tout le Canada.

La deuxième bonne nouvelle est que le revenu annuel disponible d'une personne seule travaillant à temps plein au salaire *minimum* au Québec sera supérieur au seuil de faible revenu couramment utilisé par Statistique Canada. Travailler 40 heures par semaine au taux de 8 $ l'heure assurera un revenu annuel brut de 16 640 $ et un revenu disponible de 14 960 $ (après impôts, cotisations et crédits). Ce n'est pas un gros revenu, puisqu'il est tiré d'un salaire minimum. Malgré tout, il dépassera le seuil de faible revenu disponible de Statistique Canada. Ajusté en fonction du coût de la vie, ce seuil sera de 14 710 $, en 2007, pour une personne seule vivant au Québec.

À lui seul, le salaire minimum à 8 $ n'élimine pas la pauvreté des familles. Pour ces dernières, il faut l'apport d'autres mesures d'aide de l'État, comme les prestations pour enfants, la prime au travail, etc. Mais pourquoi donc ne pas porter plutôt le salaire minimum à 10 $, comme certains le proposent?

La raison est que s'il est trop élevé, le salaire minimum détruit l'emploi et répand le chômage. Le salaire est le coût de la main-d'œuvre. Or, plus la main-d'œuvre coûte cher, moins les employeurs (surtout les PME) en embauchent. Il s'agit d'éviter que le revenu supplémentaire que l'on gagne grâce à un taux horaire plus élevé ne soit annulé par la réduction du nombre d'emplois et d'heures travaillées. Il faut donc augmenter le salaire minimum autant qu'on peut, mais sans dépasser le niveau où l'emploi des travailleurs peu qualifiés ou peu expérimentés (l'emploi des jeunes, notamment) commence à être sérieusement atteint. Un compromis est nécessaire.

Où se situe ce compromis? La recherche contemporaine au Canada et aux États-Unis a démontré de manière assez convaincante ce qui suit. Si le salaire minimum équivaut à moins de 45 % du salaire moyen, l'emploi et le nombre d'heures travaillées tiennent bon. Mais si le salaire minimum dépasse 50 % du salaire moyen, le chômage commence à se répandre parmi les travailleurs situés au bas de l'échelle. Dans les années 1970, au Québec, le salaire minimum a grimpé jusqu'à 58 % du salaire horaire manufacturier. Le taux de chômage des jeunes de 15 à 24 ans a explosé à 17 %, soit 10 points au-dessus du taux de chômage des hommes de 25 à 54 ans. Depuis 2001, le salaire minimum s'est stabilisé à 46 % du salaire moyen. Le taux de chômage des jeunes n'a dépassé celui des hommes que de six points. Cela a un effet considérable sur les perspectives d'emploi des jeunes et des autres petits salariés.

Avec le relèvement annoncé, qui le portera à 8 $ en mai prochain, le salaire minimum du Québec s'établira encore à 46 % du salaire moyen des employés payés à l'heure. Qu'on maintienne cette ligne de conduite, adoptée depuis 10 ans au Québec, constitue la troisième bonne nouvelle. Dans les circonstances économiques actuelles, la barre des 8 $ est à peu près le maximum auquel on peut hisser le salaire minimum pour combattre la pauvreté sans détruire l'emploi et répandre le chômage parmi les travailleurs au bas de l'échelle. Le geler à 7,75 $ pendant qu'il augmente dans les autres provinces aurait été sans-cœur. Le porter bien au-dessus de 8 $ aurait été téméraire et irresponsable. (La version originale de ce texte a été publiée en mars 2007.)

NDA : Le 1er mai 2013, le salaire minimum du Québec a été porté à 10,15 $ l'heure, ce qui continue à respecter la norme de 46 % du salaire moyen suivie depuis la fin des années 1990.

Trop rares, les femmes !

Au Québec, parmi la population âgée de 25 à 64 ans, un diplômé universitaire sur deux est une femme. Mais seulement un cadre supérieur sur quatre et un dirigeant de grande entreprise sur quatorze sont des femmes. Trouvez l'erreur.

Le choix récent d'une femme exceptionnelle, Monique Leroux, pour diriger la plus grande entreprise du Québec (Desjardins) a été salué partout comme un grand événement. Mais justement, c'est un événement rare. Au Québec, il n'y a qu'une dizaine de femmes à la tête des 140 entreprises qui comptent plus de 1 000 employés. Le tableau de la page 41 en dresse la liste.

Pourquoi les femmes sont-elles si peu nombreuses à diriger nos grandes entreprises ? Il y a deux explications possibles. La première est que ce sont les femmes elles-mêmes qui choisissent d'éviter les postes de commande. Selon cette théorie, les femmes auraient, en matière de travail, des valeurs et des attitudes différentes de celles des hommes. Elles seraient moins combatives, moins ambitieuses, moins préoccupées par leur statut social, moins prêtes à sacrifier leur vie de famille.

Cette rationalisation des faits ne tient pas la route. Tous les indicateurs montrent que les femmes, comme les hommes, veulent ardemment réussir, être reconnues et faire avancer leur carrière. Lorsqu'elles mettent des enfants au monde, elles quittent le travail pendant de très brèves périodes, ce qui n'en fait pas pour autant de mauvaises mères ! De plus, on observe que le nombre d'entrepreneures propriétaires de leur propre entreprise progresse à un rythme très rapide. Le manque de combativité et d'ambition des femmes, c'est de la foutaise.

La seconde explication est celle qu'ont récemment formulée deux chercheurs britanniques, Michelle Ryan et Alex Haslam, après avoir passé quatre années à observer des milliers d'entreprises européennes et américaines. Ils ont noté une tendance notable des *boys*, qui dominent dans les conseils d'administration, à choisir une femme pour diriger une entreprise lorsque celle-ci doit résoudre une crise, faire du « ménage » ou relever un défi majeur. On fait donc appel à elles... quand il y a un problème. Parmi les noms qui figurent dans le tableau, il est clair que Jocyanne Bourdeau doit aider à redresser la situation précaire de Loblaw ; Diane Giard, sortir la Banque Scotia du sous-sol du classement bancaire ; et Monique Leroux, effectuer la délicate conciliation entre la mondialisation et la coopération chez Desjardins.

10 FEMMES AU SOMMET

NOM	ENTREPRISE	RANG SELON LE NOMBRE D'EMPLOYÉS AU QUÉBEC
Monique Leroux	Mouvement Desjardins	**1**
Jocyanne Bourdeau	Loblaw et Maxi & Cie	**2**
Micheline Martin	RBC Banque Royale	**16**
Karen Radford	Telus	**31**
Céline Rousseau	Groupe Compass	**50**
Christine Marchildon	Banque TD	**62**
Sophie Brochu	Gaz Métro	**81**
Diane Giard	Banque Scotia	**94**
Dawn Graham	Merck Frosst Canada	**132**
Marie-Claude Houle	EBC Construction	**137**

(Source : Journal *Les Affaires*)

Michelle Ryan et Alex Haslam ont aussi confirmé un soupçon répandu : les femmes dans les grandes entreprises sont la plupart du temps des *outsiders*. Elles ne font pas partie du réseau de soutien mutuel formé par les *boys*. Elles s'intéressent peu aux « chars » ou au golf. Elles n'ont pas accès à toute l'information tacite qui se transmet sur les verts. Ce n'est pas souvent qu'on leur donne une tape dans le dos en reconnaissance de tout ce qu'elles font pour surmonter les difficultés ou des succès qu'elles remportent.

Bref, on confie souvent aux femmes les tâches les plus difficiles et elles ont moins de ressources pour les accomplir. La conséquence est que, pour réussir, elles doivent être bien meilleures que leurs collègues masculins. Elles doivent avoir un talent de gestionnaire exceptionnel, une confiance absolue dans leurs moyens et une résistance blindée contre le stress. C'est pourquoi elles sont moins nombreuses que les hommes à parvenir au sommet. Beaucoup abandonnent la partie prématurément.

L'État fait-il mieux ? En un sens, oui. Au gouvernement du Québec, un sous-ministre sur trois (plutôt que sur quatorze !) est une femme. Mais les femmes sous-ministres sont cantonnées dans les petits ministères. Vous n'en trouverez pas au Conseil du Trésor, aux Finances, à la Santé, à l'Éducation, à l'Emploi ou aux Transports. Pour équilibrer les choses, il faudrait peut-être appliquer à la haute fonction publique la règle que Jean Charest a imposée à son Conseil des ministres : 50 % de femmes ! (La version originale de ce texte a été publiée en juin 2008.)

Le physique de l'emploi

Les salaires ne reflètent pas seulement l'éducation, l'expérience et le talent. Ils subissent aussi l'influence d'attributs personnels comme la taille, le poids et la beauté physique.

Sur la taille, la recherche contemporaine nous apprend que le salaire d'un homme de 1,83 m (6 pi) dépasse en moyenne de 6 % celui d'un autre homme qui a autant de talent, d'éducation et d'expérience, mais qui ne mesure que 1,75 m (5 pi 9 po) – la moyenne canadienne. Autrement dit, si le plus petit gagne 45 000 dollars par année, le plus grand en touchera 47 700. Le cas des chefs d'entreprise est particulièrement frappant. Aux États-Unis, 30 % des dirigeants des plus grandes sociétés – presque tous des hommes – mesurent au moins 1,88 m (6 pi 2 po). Pourtant, seulement 4 % des Américains de sexe masculin atteignent ou dépassent cette taille. Être grand, ça aide.

Au sujet du poids, on nous apprend que l'obésité n'a presque pas d'influence sur le salaire des hommes, mais un effet marqué sur celui des femmes. Même si elle est en aussi bonne santé et tout aussi productive au travail, une femme pesant 100 kilos gagne 9 % de moins qu'une autre de même taille qui en pèse 70. Dans le cas, par exemple, où cette dernière touche un salaire de 45 000 dollars, la première n'en gagne que 41 000, une différence de 4 000 dollars. Les petites femmes rondes qui se sont hissées au sommet d'une entreprise en raison de leur talent exceptionnel doivent tirer une leçon de ces résultats : il leur faut se méfier des grands hommes costauds de talent moyen qui convoitent leur poste.

L'influence de la beauté physique sur la rémunération, quant à elle, serait à peu près la même pour les hommes que pour les femmes. Peu importe le sexe, les personnes jugées séduisantes bénéficieraient d'un salaire de 7,5 % plus élevé que la moyenne des salariés. À l'inverse, celles qui seraient moins gâtées par la nature subiraient une perte de 5 %. Au total, c'est donc un écart salarial de 12,5 % qui séparerait les deux extrémités du spectre de la beauté. Par référence au salaire moyen de 45 000 dollars par année, les sujets les plus séduisants parviendraient à en gagner 48 500, tandis que les moins attirants devraient se contenter de 43 000. L'écart séparant les deux groupes serait donc de 5 500 dollars.

L'importance de la taille, du poids et de la beauté physique est incontestable dans certains métiers ; c'est le cas pour les joueurs de basketball, les lutteurs de sumo ainsi que les acteurs et actrices de cinéma. Il faut également convenir que la grande taille, la sveltesse et la beauté peuvent favoriser la confiance en soi, la capacité de communiquer et la facilité à plaire aux clients. Cela peut même justifier une « prime d'aptitude » dans certaines professions.

Mais il ne faut pas exagérer la généralité de ces bienfaits présumés. Un mémoire de maîtrise en économie préparé par une étudiante de l'UQAM, Valérie Malka, démontre que les jurys d'examen de nombreux orchestres symphoniques d'Amérique du Nord sont influencés de façon notable par la beauté des candidats dans les concours où la tête de ceux-ci n'est pas cachée par un écran. Pas sûr qu'il en résulte une meilleure musique ! Nul doute que ce type de comportement est répandu dans d'autres secteurs de l'économie. Les patrons et les cadres réagissent souvent à la taille, au poids ou à la beauté des postulants à un emploi ou des candidats à une promotion, même en l'absence de tout lien avec la productivité.

C'est la nature humaine. Il n'en reste pas moins que cela constitue une discrimination pure et simple, qui doit être combattue avec énergie. (La version originale de ce texte a été publiée en février 2010.)

***

CHAPITRE 3 // LA CULTURE

Le hic du prix unique

Lire en français au Québec coûte beaucoup plus cher que lire en français en France ou en anglais en Amérique du Nord. Les principales causes: les frais fixes élevés des éditeurs québécois et le faible tirage de leurs titres, le prix élevé des ouvrages importés de France, un système de distribution désuet et coûteux ainsi que l'exclusivité accordée aux libraires agréés de la vente de livres au prix fort aux écoles. Par million d'habitants, 200 nouveaux titres arrivent sur les rayons chaque année aux États-Unis, 400 en France et 500 au Québec. Mais cette exubérance locale dans les nouvelles parutions ne veut pas dire qu'il se vend plus de livres au Québec qu'ailleurs. Bien au contraire, les Américains achètent neuf livres par habitant par année, les Français, six, mais les Québécois, seulement quatre.

Par ailleurs, la situation des librairies traditionnelles est précaire... depuis 30 ans. En 1981, une première loi protectionniste (la loi 51) leur a donné un peu de répit en leur consentant plusieurs avantages financiers importants. Les librairies reviennent encore à la charge aujourd'hui. Elles se plaignent surtout de la vive concurrence que leur font les magasins à grande surface (comme Price-Costco, Maxi et Wal-Mart) et les grandes chaînes (telles que Renaud-Bray et Archambault). Les *best-sellers* qui se vendent 30 dollars dans les librairies traditionnelles peuvent souvent être obtenus pour moins de 20 dollars dans ces grands magasins.

Un comité de travail de l'industrie du livre, présidé par Gérald Larose, vient même de leur accorder son appui. Il réclame que le gouvernement du Québec imite certains pays européens et interdise aux grandes surfaces et aux chaînes de vendre les nouveaux livres à prix réduit. Tous les détaillants sans exception seraient obligés de vendre au prix unitaire indiqué par l'éditeur. Les librairies seraient ainsi débarrassées de la concurrence et, espère-t-on, redeviendraient rentables.

Le secteur du livre au Québec se heurte donc à deux problèmes. Premièrement, les bouquins s'y vendent plus cher qu'ailleurs et les Québécois lisent peu. Deuxièmement, les librairies traditionnelles sont financièrement fragiles et crient au secours.

La solution du prix unique améliorerait-elle vraiment la situation ? Non, pour une raison bien simple : elle aggraverait le premier problème et ne résoudrait pas le second. Car, d'une part, les centaines de milliers de Québécois qui fréquentent chaque semaine les chaînes et les grandes surfaces verraient le prix de leurs livres augmenter jusqu'à 60 %. À 20 dollars l'exemplaire, avec un budget annuel de 300 dollars, on achète aujourd'hui 15 livres. À un prix unique, disons, de 30 dollars, le même budget ne permettrait plus d'en acheter que 10. Le livre se vendrait plus cher, les Québécois liraient encore moins.

D'autre part, il est peu probable qu'un régime de prix unique améliorerait pour la peine la part de marché des librairies. En effet, pour quelle raison pratique le client qui se rend régulièrement chez Archambault ou Price-Costco irait-il plutôt faire ses achats dans une librairie traditionnelle si le prix n'y était pas plus bas de toute façon ? En fait, ce sont ces grands détaillants qui empocheraient. Avec des marges bénéficiaires considérablement accrues, ils trouveraient très payant de diversifier le choix de livres offerts sur leurs rayons, et souffleraient encore plus de ventes aux librairies traditionnelles. Enfin, où croyez-vous que les lecteurs de l'Outaouais iraient acheter leurs livres s'ils pouvaient payer 50 % moins cher à Ottawa ?

Les difficultés auxquelles doivent faire face les librairies ressemblent fort à celles qu'ont dû surmonter les épiceries, les quincailleries et les pharmacies indépendantes dans les décennies passées. Convenons que les livres sont plus importants pour l'identité et la culture d'un peuple que les petits pois, les vis et les pilules. Mais, commerçant pour commerçant, il y a quelque chose de singulièrement injuste à observer que les épiciers, les quincailliers et les pharmaciens ont résolu leurs problèmes financiers en se relevant les manches, en prenant le virage technologique, en s'adaptant aux goûts des consommateurs, en abaissant leurs coûts et en formant des chaînes et des regroupements capables d'affronter la concurrence, tandis que les gens du livre semblent encore paralysés par une effarante culture de dépendance. L'État les aide déjà beaucoup. Est-ce trop leur demander que de faire eux aussi leur bout de chemin ? (La version originale de ce texte a été publiée en décembre 2000.)

Payer 70 dollars pour voir un film québécois ?

Beaucoup de gens ne prennent pas l'industrie culturelle au sérieux. Ils ont tort. La culture, c'est nous. Non seulement elle exprime ce que nous sommes, mais elle a aussi une grande portée économique. L'aider financièrement a une justification économique rigoureuse. Sans subvention, c'est la disparition.

Le tableau de la page 49 montre qu'au Québec, en 2006, 118 800 personnes travaillaient dans divers domaines de l'industrie culturelle. En tout et pour tout, 3 personnes actives sur 100 sont des travailleurs de la culture. Est-ce beaucoup ? Certainement. C'est notamment plus que dans la totalité de notre secteur primaire, qui regroupe l'agriculture, la forêt, les mines et la pêche. En 2008, nos travailleurs de la culture ont produit une valeur ajoutée d'environ 10 milliards de dollars.

Mais même lorsqu'on admet que l'industrie culturelle fait travailler quantité de gens et produit beaucoup de valeur, on continue souvent à lui jeter un regard sceptique. Pourquoi ? Pour deux raisons. La première est que nous souffrons de la maladie de la « manufacturite ». Nous croyons encore, comme il y a 50 ans, que la preuve du progrès économique, c'est une cheminée d'usine avec des nuages de fumée et que tout le reste n'a guère d'importance. Or, les temps ont changé. Nos fabricants ont beau être toujours dynamiques (comme le démontre leur résistance exemplaire à la mauvaise conjoncture des six dernières années), ils ne sont capables de survivre qu'en réduisant l'emploi. Leur liste de paye comprend moins d'employés aujourd'hui qu'il y a 30 ans. Le secteur des services, en revanche, est une véritable machine à investir et à créer des emplois. En 2008, il en comptait 1 251 000 de plus qu'en 1978 et 603 000 de plus qu'en 1998. Et contrairement à une opinion répandue, un emploi à temps complet dans les services est mieux payé à l'heure, en moyenne, que dans le secteur manufacturier.

L'autre raison qui pousse à douter de la valeur de l'industrie culturelle est que cette dernière a besoin de l'aide financière de l'État pour survivre. On peut estimer à environ 1,3 milliard de dollars, au total, l'appui fédéral et provincial à la culture québécoise en 2008. C'est 40 % de moins que l'aide à l'agroalimentaire, mais c'est quand même beaucoup d'argent. Dans le monde économique, dépendre à ce point des subventions publiques est mal vu. C'est jugé injuste pour les autres secteurs d'activité, qui triment dur

RÉPARTITION DE LA POPULATION ACTIVE DANS L'INDUSTRIE CULTURELLE AU QUÉBEC EN 2006

SECTEUR D'ACTIVITÉ	ACTIFS
Édition (livres, journaux, périodiques, logiciels)	**23 600**
Film et enregistrement sonore (films, vidéos, disques)	**17 200**
Radio et télévision	**12 300**
Auteurs, artistes et interprètes indépendants	**11 800**
Arts d'interprétation (théâtre, musique, chant, danse)	**11 500**
Bibliothèques et archives	**8 300**
Patrimoine (musées, lieux historiques, jardins)	**6 900**
Librairies (livres, périodiques, disques)	**6 300**
Autres (design, architecture, artisanat, multimédia, publicité, etc.)	**20 900**
Total	**118 800**

(Sources: Statistique Canada et Observatoire de la culture et des communications du Québec)

pour arriver et ne bénéficient pas des faveurs de l'État, du moins pas à ce point.

En fait, l'appui financier des pouvoirs publics à la culture n'a rien d'injuste et il ne dénote pas un manque de dynamisme chez nos entrepreneurs culturels. Ce qui est en cause, c'est le caractère technologique très particulier du produit culturel : l'économie d'échelle. Dans le cas d'un film, par exemple, la première copie peut coûter 10 millions de dollars à produire ; mais la deuxième ne coûte que le prix du CD-ROM ou du DVD-ROM sur lequel on l'enregistre, soit moins d'un dollar ! La conséquence de ce phénomène est que la production du film ne peut être rentabilisée que si son marché cible est suffisamment grand. Faites le calcul. Avec ses 300 millions de personnes, le marché américain permet de rentabiliser à peu près n'importe quel film sans subvention. Mais avec 40 fois moins de spectateurs potentiels — 7,5 millions —, le marché québécois ne peut absorber sans subvention aucun film à caractère le moindrement identitaire. Quel couple aurait été prêt à payer 70 dollars pour aller voir *C.R.A.Z.Y.* dans une salle de cinéma ?

Les autres produits culturels et les autres nations de taille moyenne ou petite connaissent le même problème, à divers degrés. Il n'y a pas dix solutions possibles, mais seulement deux : ou bien nous continuons à appuyer financièrement notre culture, ou bien nous la regardons tranquillement disparaître. Il faut choisir. (La version originale de ce texte a été publiée en mars 2009.)

CHAPITRE 4 // L'ÉDUCATION

Qui s'instruit s'enrichit? Absolument.

Une des affirmations qui revient toujours, comme le chiendent, c'est que le cégep et l'université ne servent qu'à former des chômeurs instruits. Il faut, bien sûr, comprendre le point de vue des gens. Leur fils est encore à la maison, sans emploi stable après avoir fait un bac en éducation. Leur nièce est serveuse dans un restaurant de La Pocatière, en attendant un poste plus approprié à son diplôme collégial en techniques administratives. Ou ils ont rencontré, l'an dernier à Toronto, un chauffeur de taxi diplômé en génie mécanique, en attente lui aussi d'un meilleur sort.

Les faits sont les faits. Mais il faut se garder de généraliser sur la base de cas particuliers. Pour l'immense majorité de la population, l'enseignement collégial et universitaire est la voie royale vers un taux de chômage plus faible et un salaire plus élevé. C'est aussi le fer de lance de la lutte contre les inégalités sociales et l'exclusion.

Quand on observe le taux de chômage selon le groupe d'âge et le niveau de scolarité au Canada en 1992 et 1999, on constate, premièrement, que les groupes sans diplôme d'enseignement supérieur chôment beaucoup plus, sur toute la ligne, que les groupes avec diplôme. Deuxièmement, que les taux de chômage sont, pour tous les groupes, plus élevés dans l'année de récession 1992 que dans l'année d'expansion 1999. Troisièmement, que les groupes d'âge mûr (de 25 à 44 ans) chôment moins, dans toutes les circonstances, que les groupes de jeunes (de 15 à 24 ans).

Ainsi, les détenteurs d'un diplôme collégial ou universitaire sont bel et bien exposés au chômage. Mais beaucoup moins que les autres. De plus, en période de ralentissement économique, les « instruits » voient leur taux de chômage augmenter comme tout le monde. Mais moins que les autres. Si, au cours de leurs premiers pas à la fin de leurs études, les diplômés se heurtent souvent au chômage, leur situation se stabilise avec le temps.

Les détenteurs d'un diplôme d'enseignement supérieur chôment donc beaucoup moins que les autres. Mais gagnent-ils des salaires plus élevés ? Bien sûr que oui. L'enquête annuelle de Statistique Canada sur les finances des consommateurs indique qu'en 1995 le salaire annuel moyen d'un diplômé universitaire québécois atteignait 38 000 dollars. Il dépassait ainsi de 15 000 dollars celui gagné par un diplômé du secondaire.

Cette plus-value salariale de 15 000 dollars ne vient évidemment pas toute seule. Elle découle d'un investissement dans l'obtention d'un diplôme universitaire qui n'est pas gratuit. L'étudiant paie des droits de scolarité et d'autres frais indirects. Il renonce au revenu salarial qu'il aurait s'il travaillait plutôt que d'étudier. Souvent, il doit s'endetter. L'État contribue lui aussi, en subventionnant les établissements d'enseignement.

Compte tenu de tous ces frais, le surplus annuel de salaire de 15 000 dollars obtenu en retour pour le reste de la vie active offre-t-il une compensation suffisante par rapport à l'investissement de départ ? Oui, sans aucun doute. Les études disponibles estiment habituellement le rendement financier de cet investissement à 10 % ou 15 %. Il est comparable au rendement de tout bon investissement d'entreprise. L'obtention d'un diplôme universitaire est rentable pour l'étudiant, qui augmente son revenu annuel, comme pour l'État, qui en tire des impôts supplémentaires.

Ce qui est beaucoup moins connu, c'est que l'enseignement supérieur joue aussi un rôle primordial dans la lutte contre les inégalités. Nous assistons en effet, de nos jours, à une course contre la montre entre le progrès de la technologie et le progrès de l'éducation. Les nouvelles technologies qui ont envahi le paysage économique exigent beaucoup de savoir. Si nous ne sommes pas capables de former assez rapidement une main-d'œuvre qui puisse utiliser efficacement ces technologies, notre société deviendra vite « schizophrène ». On aura, d'un côté, des travailleurs hautement qualifiés qui seront grassement payés parce que fortement demandés et en nombre insuffisant ; de l'autre, des travailleurs sous-scolarisés et sous-payés qui seront en surabondance.

La preuve ? Aux États-Unis, en 20 ans, les inégalités au bas de l'échelle salariale ont augmenté beaucoup plus qu'au Canada. L'une des causes déterminantes et vérifiées de cette évolution est que le nombre de diplômés des collèges et universités a crû beaucoup plus lentement chez nos voisins que chez nous pendant cette période. (La version originale de ce texte a été publiée en novembre 2000.)

Les cégeps : un gros plus

Les cégeps sont des établissements d'enseignement uniques en Amérique du Nord. Ils font la transition entre le secondaire et l'université et assurent une formation professionnelle et technique avancée tout en encourageant la persévérance scolaire et le développement économique régional. Mais, 35 ans après leur envol, les cégeps continuent de susciter beaucoup de réticences parmi certaines de nos élites — chez les traditionalistes et les universitaires, surtout.

Les traditionalistes n'ont jamais accepté que les cégeps remplacent les vieux collèges classiques. Il faut dire que les 15 premières années de ces établissements d'enseignement, de 1968 à 1983, furent plutôt rock'n'roll. *L'Osstidcho,* Beau Dommage, les grèves et le « pot » étaient plus populaires que Cicéron, Aristote, Corneille et Newton. Les profs de cégep paraissaient tout droit sortis du film *Le déclin de l'Empire américain,* du cinéaste Denys Arcand. Ces « années folles » sont chose du passé. Aujourd'hui, plus de 90 % des Québécois sont d'avis que les cégeps donnent une formation générale et professionnelle de qualité. Mais l'opinion des traditionalistes est restée figée dans la nostalgie des années 1960.

Bien des dirigeants universitaires n'ont pas encore digéré que les cégeps leur aient « volé » une année du premier cycle d'enseignement. Ailleurs en Amérique du Nord, les jeunes obtiennent leur diplôme de *high school* après 12 années à l'école, puis en passent 4 sur les bancs de l'université. Au Québec, le diplôme d'études collégiales est décerné après 13 années de scolarité, ce qui en laisse seulement 3 pour les études universitaires. Nos recteurs n'aiment pas voir leurs budgets d'enseignement ainsi amputés du quart. Beaucoup passent leur temps à se plaindre des cégeps, pour n'importe quelle raison : ce qui va bien à l'université, c'est grâce à l'université ; ce qui ne va pas, c'est la faute des cégeps.

Les pauvres cégeps ne savent plus comment assurer leur défense. Au ministère de l'Éducation, les écoles primaires et secondaires exigent la plus grande partie du budget. Elles disposent, par l'intermédiaire des commissions scolaires, d'un appareil bureaucratique imposant et du pouvoir de taxer. Le milieu universitaire est plus petit, mais jouit de l'appui des élites et perçoit des droits de scolarité. Le collégial est coincé entre ces deux géants. Il tire difficilement son épingle du jeu sur les plans bureaucratique, politique et financier.

Pourtant, les cégeps favorisent la persévérance scolaire. Après quatre années et demie au secondaire, beaucoup de nos jeunes sont fatigués d'aller à l'école. Ils ont presque 17 ans. Le carcan de la discipline scolaire commence à les exaspérer. Ils veulent plus de liberté. La tentation du décrochage est à son maximum. Dieu merci, il ne leur reste que six mois avant de terminer leur secondaire. Vous faites pression sur eux, c'est l'enfer pendant six mois, mais ils finissent par obtenir leur diplôme — avec votre aide ou vos menaces. Pour eux, l'entrée au cégep, c'est la libération. Pour vous, c'est le soulagement de les avoir empêchés de décrocher. Ici, une question se pose : si les études secondaires avaient duré six ans, comme ailleurs en Amérique du Nord, votre jeune aurait-il persévéré ? Peut-être, mais ce n'est pas sûr.

Un de mes confrères de l'Université de la Colombie-Britannique, Steve Easton, pense que l'existence des cégeps est un facteur primordial de la persévérance scolaire des adolescents au Québec. L'implantation de dizaines de cégeps dans les petites villes du Québec — d'Alma à Salaberry-de-Valleyfield et de Gaspé à Saint-Jérôme en passant par Shawinigan et Granby — encourage nos jeunes à poursuivre leurs études pour une autre raison importante :

les cégeps réduisent la distance entre le domicile familial et le lieu d'enseignement. Conséquence : 85 % des jeunes Québécois de 15 à 19 ans vont à l'école. C'est plus qu'aux États-Unis et à peine moins qu'en Ontario.

Enfin, les cégeps répondent aux multiples besoins des entreprises locales. Beaucoup de profs de cégep ne comptent pas les heures qu'ils passent à aider nos entreprises à résoudre leurs problèmes pratiques de formation, de technologie, de production ou de finance. Les dirigeants de PME les perçoivent souvent comme plus proches, plus accessibles, plus concrets que les profs d'université. Des exemples ? L'aéronautique à Édouard-Montpetit, les technologies physiques à La Pocatière, l'informatique à Rosemont, le meuble à Victoriaville, l'électrotechnique à Limoilou, les pâtes et papiers à Trois-Rivières, le transport maritime à Rimouski, l'exploitation minière à Rouyn, la production textile à Saint-Hyacinthe, les ressources marines à Gaspé, l'art et la technologie des médias à Jonquière.

Les cégeps sont une innovation québécoise qui réussit bien l'arrimage des adolescents et du développement économique régional. Il faut nourrir et renforcer cet élan, continuer d'améliorer le taux de succès scolaire. Mais revenir en arrière, comme le souhaitent certains nostalgiques, serait un choix insensé. (La version originale de ce texte a été publiée en juin 2003.)

La vérité sur le décrochage scolaire

Il y a des affirmations que l'on croit vraies simplement parce qu'elles sont répétées. Par exemple, « 40 % des jeunes Québécois abandonnent l'école sans avoir obtenu leur diplôme du secondaire ». La vérité est pourtant tout autre. L'*Enquête sur la population active* de Statistique Canada indique qu'en 2002 seulement 13 % des jeunes Québécois âgés de 25 à 29 ans ne possédaient pas de diplôme d'études secondaires. (NDA : Il y a eu amélioration depuis 2002. En 2012, selon la même enquête de Statistique Canada, 9,8 % des Québécois de 25 à 44 ans n'avaient pas ce diplôme.)

Le taux d'abandon de 40 % est un phénomène de la fin des années 1960. Depuis cette époque, la persévérance scolaire a fortement augmenté. Le raccrochage à l'éducation des adultes a aussi progressé. À 13 % aujourd'hui, le taux de décrochage parmi les jeunes de 25 à 29 ans n'est plus que le tiers de ce qu'il était il y a 35 ans.

Néanmoins, la plupart des gens ont encore l'impression que 40 % des jeunes décrochent avant d'avoir obtenu un diplôme d'études secondaires. Ce n'est évidemment pas le seul domaine où les idées reçues sont en retard sur la réalité. Par exemple, beaucoup de Québécois s'imaginent que le Canadien de Montréal est encore une grande équipe de gagnants de la Coupe Stanley ! Il y a aussi un peu de désinformation dans l'air : certains groupes s'emploient à noircir la performance scolaire des élèves afin de convaincre le gouvernement d'investir davantage en éducation. Déformation de la réalité au service d'une bonne cause?

Mais n'est-il pas vrai que les écoles secondaires sont pourries et qu'on n'y apprend plus à lire, à écrire et à compter comme dans le bon vieux temps? Il y a ici une grave erreur de perception. Nous pouvons tous observer des déficiences en lecture, en grammaire et en mathématiques parmi les jeunes d'aujourd'hui. Cela dit, était-ce vraiment mieux dans les années 1950, où la moitié des élèves québécois n'atteignaient même pas la huitième année de scolarité?

La fausseté de l'idée qu'on se fait des compétences de base des jeunes du Québec est encore plus évidente lorsqu'on soumet ces derniers à la comparaison. Les enquêtes canadiennes et internationales qui ont été menées depuis 15 ans sur les compétences scolaires des adolescents démontrent que les Québécois réussissent toujours mieux (ou aussi bien) en lecture, en sciences et en mathématiques que leurs homologues des autres provinces et des autres pays avancés.

Si on admet que les jeunes d'ici ne sont ni plus ni moins doués que ceux d'ailleurs, il n'y a qu'une explication possible à leur succès à l'échelle mondiale: le Québec offre de bons programmes, de bons manuels et de bons enseignants. Les programmes de maths, par exemple, ne confinent pas les élèves à des exercices abstraits d'algèbre, de géométrie ou d'analyse des fonctions. La théorie est présente, mais l'accent est mis sur la résolution de problèmes concrets d'application. Les livres de maths ne sont pas de simples traductions de manuels américains. L'effort d'innovation pédagogique est réel. Les enseignants sont compétents et ont à cœur la réussite des élèves: ils ne lésinent pas sur les heures de rattrapage accordées aux plus lents.

De nombreux observateurs soupçonnent que le succès des élèves du Québec est en partie attribuable à l'émulation qui existe entre l'école publique et l'école privée. Au niveau de l'enseignement secondaire, environ 15 % des jeunes Québécois fréquentent l'école privée, dont l'accès est facilité par des subventions de l'État. C'est nettement plus que dans le reste du Canada – où ce secteur n'attire que 5 % des élèves – et la plupart des autres pays. Une conséquence importante en découle : au Québec, l'école publique ne détient pas, comme ailleurs, le monopole de l'enseignement, et elle est donc soumise à la concurrence du privé. Saine émulation qui la pousse à exceller afin de conserver ses effectifs.

Naturellement, beaucoup de commissions scolaires et de syndicats d'enseignants du secteur public voudraient sortir le privé de leur territoire. Cela est parfaitement compréhensible. La concurrence, ça n'est jamais reposant ! Mais nous savons tous que, pour protéger les intérêts de nos enfants et promouvoir l'excellence, cet aiguillon vaut cent fois mieux que le confort du monopole public. L'émulation entre le public et le privé dans notre système scolaire est une innovation québécoise. Elle aide nos écoles et nos enfants à se distinguer sur le plan mondial. Nous ferions fausse route en la supprimant. (La version originale de ce texte a été publiée en septembre 2004.)

Un bon partenariat public-privé

De la maternelle au collège, au Québec, un élève sur 10 fréquente l'école privée. Au primaire et au secondaire, l'élève du privé reçoit des contribuables une somme qui équivaut en moyenne à 45 % de ce qu'obtient l'élève du public. En 2001-2002, les commissions scolaires publiques du Québec ont récolté environ 7 000 dollars par élève à temps plein en subventions de l'État et en taxes scolaires. Au total, elles ont dépensé 7 500 dollars par élève. Pendant ce temps, les écoles privées ont reçu 3 200 dollars par élève à temps plein en subventions. Les écoles privées bouclent leur budget en percevant des droits de scolarité et en utilisant d'autres revenus. Tout compte fait, en 2001-2002, elles ont dépensé 7 000 dollars par élève, soit 500 dollars de moins que les écoles publiques.

Une telle comparaison commande évidemment la prudence. Les commissions scolaires doivent assumer d'importantes responsabilités en matière de transport scolaire, de services de garde, d'aide aux élèves en difficulté et de formation professionnelle. Par contre, les effectifs des établissements privés sont fortement concentrés au secondaire, où les coûts d'enseignement sont plus élevés qu'au primaire. Quoi qu'il en soit, ni l'école privée ni l'école publique n'instruisent les élèves du Québec dans l'opulence.

C'est une erreur de croire que l'État pourrait redresser les finances des commissions scolaires en leur transférant la totalité des subventions annuelles de 360 millions qu'il verse présentement aux écoles privées. Beaucoup de ces dernières fermeraient leurs portes. Les autres seraient obligées, afin de survivre, de doubler ou de tripler les droits de scolarité exigés des élèves. Le budget des familles de la classe moyenne n'est pas illimité. Celles-ci déserteraient l'école privée. Même si seulement la moitié des élèves du privé passaient alors au secteur public, cette migration obligerait les commissions scolaires à supporter des dépenses supplémentaires de près de 400 millions par année, soit davantage que la somme qu'elles auraient récupérée de l'État. La manœuvre n'entraînerait aucune économie sur le plan financier.

La coexistence d'un petit secteur privé partiellement subventionné et d'un grand secteur public renforce de trois manières la performance globale de notre système d'éducation. Premièrement, elle ajoute de la flexibilité au système. Les parents du Québec ne veulent pas tous la même chose en fait d'objectifs et d'encadrement pédagogiques. L'école privée permet de respecter cet éventail de préférences. De son côté, grâce à ses éléments dynamiques, l'école publique réussit à progresser. Mais les contraintes bureaucratiques qu'elle subit sont lourdes. Il est plus compliqué pour ses éducateurs d'innover et de sortir du moule.

Deuxièmement, l'émulation naturelle qui existe entre le privé et le public joue à l'avantage des deux secteurs. Elle les pousse à s'améliorer constamment afin de conserver leur réputation et leurs effectifs. Nul doute que cet aiguillon contribue à faire des champions des adolescents québécois dans les enquêtes scientifiques internationales sur les compétences en lecture, en sciences et en mathématiques. Cela prouve que l'école publique et l'école privée du Québec sont toutes les deux d'excellent calibre au niveau mondial. Défaire cette combinaison gagnante serait une pure bêtise.

Troisièmement, l'école privée agit comme un révélateur utile des forces et des faiblesses de l'école publique. Côté forces, tous les indicateurs, dont le classement de *L'actualité,* démontrent que pour la performance les écoles publiques internationales (comme il y en a, entre autres, à Saint-Hubert, à Laval et à Montréal) n'ont rien à envier aux écoles privées. Voilà un domaine où les commissions scolaires ont particulièrement bien réussi. Côté faiblesses, cependant, on constate que 17 % des élèves du Québec fréquentent l'école privée au secondaire, contre seulement 5 % au primaire et 8 % au collégial. Le signal donné ici est également clair : c'est au secondaire que le secteur public doit consacrer le maximum d'attention s'il veut s'améliorer dans les années à venir.

Pour employer une expression à la mode, notre système d'éducation est un bon exemple de partenariat public-privé qui marche. Naturellement, il peut encore progresser. Par exemple, le secteur privé pourrait être mis davantage à contribution afin d'aider les élèves en difficulté qui sont tentés de décrocher. Mais, tel qu'il est, notre système est déjà économique et performant. Il pourrait servir de modèle au secteur de la santé, qui, à l'heure actuelle, cherche désespérément à améliorer son fonctionnement. (La version originale de ce texte a été publiée en novembre 2004.)

Comment aider nos enfants à réussir à l'école

À chaque rentrée scolaire, la même question resurgit: que pouvons-nous faire, nous, les parents, pour assurer la réussite de nos enfants à l'école? Deux chercheurs en économie, les professeurs Roland Fryer, de l'Université Harvard, à Cambridge (Massachusetts), et Steve Levitt, de l'Université de Chicago, se sont récemment penchés sur la question. Ils ont analysé en détail l'évolution de 21 000 jeunes Américains de la maternelle à la 3e année. Plutôt que de défendre une théorie particulière, ils ont examiné les faits. Ils ont mis en relation les résultats de tests de lecture et d'arithmétique subis par les enfants avec une centaine de caractéristiques ayant trait au lieu de résidence, au milieu familial, au milieu scolaire et aux enfants eux-mêmes.

Les deux chercheurs constatent, au départ, que les rejetons de parents instruits et fortunés réussissent mieux que les autres. Cela n'a rien de surprenant et s'explique par le fait que les parents instruits sont en général plus doués que la moyenne pour les études, ou encore valorisent davantage l'éducation. En partie par hérédité et en partie par transmission des valeurs, leurs enfants ont donc à leur tour de bons résultats scolaires.

Ce qui en surprendra beaucoup, toutefois, c'est que la structure familiale importe peu. Que la famille soit traditionnelle, monoparentale ou reconstituée n'a pas d'incidence négative sur le rendement en classe. Ouf! Quand on sait que la moitié des élèves du primaire ont vécu la rupture de leurs parents, on peut dire qu'ils l'ont échappé belle !

Fryer et Levitt constatent aussi que les jeunes réussissent nettement mieux lorsque leur mère a commencé à avoir des enfants *après* l'âge de 30 ans que si elle a eu son premier *avant* l'âge de 20 ans. C'est donc confirmé : les grossesses chez les adolescentes n'augurent rien de bon. De plus, s'il a un petit poids à sa naissance parce que sa mère a fumé ou consommé de l'alcool pendant qu'elle était enceinte, l'enfant a un risque accru d'éprouver des difficultés scolaires ultérieurement. Par contre, les mères qui travaillent et envoient leurs petits à la garderie peuvent se rassurer : les deux chercheurs démontrent que rester à la maison jusqu'à l'entrée à la maternelle ne procure aucun avantage sur le plan scolaire. Une bonne garderie prépare bien à l'école.

Une idée reçue veut que les garçons réussissent moins bien que les filles en classe. Dans les données analysées ici, la différence entre les sexes apparaît dès le début de la scolarité. Les garçons font aussi bonne figure que les filles en arithmétique. Mais en lecture, ils traînent déjà la patte en 1re année. Le retard scolaire des garçons par rapport aux filles est donc précoce. Il ne se résume pas à un problème de socialisation qui n'apparaîtrait qu'à l'adolescence, comme d'aucuns le croient.

Certains parents sont particulièrement appliqués. Ils font la lecture quotidiennement à leurs enfants. Ils leur apprennent à lire, à écrire et à « pitonner » sur l'ordinateur avant même que les petits commencent la maternelle. Ils leur interdisent de regarder la télévision. Ils les emmènent régulièrement à la bibliothèque et au musée. Malheureusement, Fryer et Levitt notent que rien de tout cela n'a le moindre effet sur le succès scolaire. Les enfants ne réussiront pas mieux parce qu'on leur aura fait l'école avant l'école.

Par contre, on observe que s'il y a beaucoup de livres à la maison, l'enfant – même si on ne lui fait pas la lecture – a de meilleurs résultats en classe. L'interprétation la plus probable est que cette présence des livres révèle un intérêt particulier des parents pour l'activité intellectuelle. C'est cet intérêt sous-jacent, et non pas la lecture qu'on fait ou non à l'enfant, qui façonne les valeurs de celui-ci et l'incite à bien travailler à l'école.

À quoi servent donc les parents ? Les enfants ne sont pas de la pâte à modeler que papa et maman peuvent sculpter à volonté. De la naissance à l'âge adulte, leur personnalité de base ne change pas beaucoup. Malgré tout, l'influence qu'ont sur eux les parents est profonde. Mais elle s'exerce par l'exemple de leur propre vie et l'amour qu'ils donnent à leurs enfants, plutôt que par leurs efforts pour les faire entrer dans un moule. Leurs valeurs intellectuelles et morales, les enfants les acquièrent en observant ce que les parents sont, pas en obéissant à ce que ces derniers leur ordonnent de faire.

Tout est là : bien vivre, les aimer, puis lâcher la selle du vélo. (La version originale de ce texte a été publiée en novembre 2005.)

À quand le diplôme équitable ?

En contrepartie des avantages que les étudiants tireront de leur diplôme universitaire, sommes-nous malvenus de leur demander d'augmenter un peu leur contribution ? Quand on est fraîchement diplômé du secondaire, à 17 ans, il y a un prix à payer pour poursuivre ses études pendant cinq autres années, jusqu'au bac, plutôt que de quitter l'école tout de suite pour entreprendre sa carrière. L'étudiant doit au départ renoncer au revenu d'un travail à temps plein toute l'année. Il y a aussi les droits de scolarité et autres frais à payer. Au cégep, c'est presque gratuit, mais à l'université, la facture de l'étudiant atteint un total de 9 000 dollars pour les trois années qui mènent au bac. En contrepartie, Ottawa et Québec accordent un crédit d'impôt à l'étudiant ou à sa famille. En outre, si les moyens financiers de l'étudiant sont limités, celui-ci a droit à l'aide du ministère de l'Éducation : 40 % des étudiants de baccalauréat obtiennent un prêt, une bourse ou les deux.

Les gains sont récoltés par la suite. Plus on est scolarisé, mieux on est rémunéré. Au Québec, en 2008, le salaire annuel moyen du diplômé universitaire a été de 52 700 dollars ; le salaire du titulaire d'un diplôme d'études secondaires (DES), de 38 900 dollars. L'avantage du diplômé universitaire est de 40 %. Sans compter qu'il est deux fois moins souvent au chômage.

Au total, étudier est très payant. Même s'il a entrepris sa carrière cinq ans plus tard, le diplômé universitaire gagnera, dans l'ensemble de sa vie active, un million de dollars (750 000 dollars après impôt) de plus que le diplômé du secondaire. Tout compte fait, le diplômé universitaire obtient un taux de rendement annuel de 19 % (16 % après impôt) pour l'investissement qu'il a fait dans ses études. Compte tenu des taux d'intérêt actuels sur les marchés (moins de 4 %), on conviendra qu'il s'agit d'un rendement exceptionnel.

Un élément déterminant de ce rendement élevé est que l'étudiant paie 10 % du coût réel de ses études. Il débourse 9 000 dollars, alors qu'il en coûte 90 000 au cégep et à l'université pour lui offrir les cinq années d'études après le DES. Ce sont les deux ordres de gouvernement, et principalement celui du Québec, qui absorbent le gros de la facture. En fait, en proportion de nos moyens financiers, l'effort de notre secteur public en faveur de l'enseignement universitaire est le plus élevé de la planète, juste derrière celui du Danemark et celui de la Norvège.

L'investissement dans l'éducation universitaire fait de la minorité que représentent les 28 % de jeunes qui obtiennent un diplôme de baccalauréat le groupe qui sera, dans l'avenir, le plus hautement rémunéré de la société. Or, l'argent versé aux établissements universitaires et collégiaux par les États provient des impôts et taxes payés par tous les contribuables. Cela veut dire que, dans les faits, la majeure partie du coût réel des études de cette minorité — 55 000 dollars sur les 90 000 — est payée par la grande proportion (72 %) des familles dont les enfants n'auront pas cet avantage.

LA BOSSE DES MATHS

Note moyenne des jeunes de 15 ans en mathématiques (norme mondiale = 500) et pourcentage des 25-34 ans qui n'avaient aucun diplôme en 2006

RÉGION	NOTE EN MATHS	% SANS DIPLÔME
États-Unis	476	13%
Québec	540	12%
Reste du Canada	523	11%

(Sources: OCDE, Statistique Canada et US Census Bureau)

Va pour le cadeau. Mais en toute logique, s'il est démontré qu'il faut vraiment augmenter le budget annuel consacré aux universités, la société ne serait pas malvenue de demander aux principaux bénéficiaires du système de hausser leur contribution. On pourrait, par exemple, porter cette contribution de son niveau actuel de 10 % du coût réel des études à 17 %. C'est le pourcentage du coût réel des services de garde qu'on demande aux parents de verser aux CPE. La facture étudiante à l'université passerait de 3 000 à 5 000 dollars par année. Ailleurs au Canada, elle est de 7 000 dollars.

Ça ne serait pas la fin du monde. Le taux de rendement de l'investissement engagé par l'étudiant dans ses études universitaires diminuerait à peine. Il passerait de 19 % à 18 % (de 16 % à 15 % après impôt). La hausse des droits de scolarité détournerait-elle certains étudiants moins fortunés des études universitaires ? Heureusement, rien ne permet de le croire. Il suffirait de réajuster le régime des prêts et bourses du ministère de l'Éducation en proportion, de multiplier les bourses au sein même des universités en puisant dans les fonds supplémentaires récoltés et d'adapter ensuite le rythme de remboursement de la dette d'études au revenu du diplômé une fois qu'il aura entrepris sa carrière.

En fait, comme le révèle le tableau de la page 67, les jeunes Québécois ne souffrent pas principalement d'un problème d'accès aux études universitaires, mais bien plutôt d'un problème de persévérance jusqu'au diplôme. (La version originale de ce texte a été publiée en février 2011.)

Indexer les droits de scolarité comme le prix du lait

La première ministre Pauline Marois vient d'annuler la hausse des droits de scolarité universitaires fixée par le gouvernement de Jean Charest. En même temps, elle dit favoriser leur indexation sur l'indice des prix à la consommation (le « coût de la vie »). Ils augmenteraient ainsi d'environ 2 % par année. Comment juger de sa suggestion ?

Actuellement, l'étudiant doit payer 6 504 dollars en droits de scolarité pour une formation universitaire de trois ans au baccalauréat (2 168 dollars par année). Ottawa et Québec lui en remettent près du tiers en crédits d'impôt. La véritable somme que l'étudiant doit finalement débourser est de 4 389 dollars sur trois ans. Comme sa formation coûte en moyenne 60 000 dollars à l'établissement universitaire, sa contribution est de 7,3 % du total. (Je mets ici entre parenthèses le fait que 56 000 étudiants moins fortunés bénéficient en outre de prêts subventionnés et de bourses.)

De leur côté, les fédérations étudiantes exigent un gel qui maintiendrait indéfiniment la facture à 4 389 dollars pour un bac. Le problème, c'est que le coût total de la formation, lui, continuera de grimper. Si la tendance se maintient, il s'élèvera à 90 000 dollars dans 10 ans et à 140 000 dollars dans 20 ans.

Ainsi, dans 10 ans, plutôt que d'être portée à 9,2 % du coût total de la formation, comme le voulait le gouvernement Charest, la contribution étudiante, gelée à 4 389 dollars, glisserait à 4,8 %. Dans 20 ans, elle serait descendue à 3,1 %. La conséquence du gel des droits de scolarité est donc de faire cheminer le système vers la gratuité à long terme. Les fédérations étudiantes le savent bien : le fruit finira par tomber de l'arbre. Il suffit d'être patient.

La logique de Pauline Marois est donc incontournable : si on veut stabiliser la contribution des étudiants en proportion du coût de leurs études, il faut indexer les droits de scolarité universitaires. Mais les accrocher à l'indice des prix à la consommation (soit une augmentation de 2 % par année), comme elle y a songé, n'empêcherait pas le poids de cette contribution de diminuer continuellement. Le coût de la formation universitaire tend en effet à progresser de 4,5 % par année, ce qui est bien supérieur à 2 %.

Néanmoins, augmenter les droits de scolarité de 4,5 % par année serait excessif, pour deux raisons. Premièrement, ce taux dépasse nettement la hausse du revenu familial, qui a été de 3,5 % par année depuis 15 ans. Augmenter le coût des études plus vite que la capacité de payer des familles n'est pas une bonne idée. Deuxièmement, il est urgent que les universités québécoises maîtrisent mieux leurs dépenses. Une hausse de 4,5 % par année, c'est trop élevé. Il est impératif de la ralentir et de la limiter à 3,5 % ou moins. Universitaires, cessez de nous casser les oreilles avec la productivité. Commencez par être plus productifs vous-mêmes.

Indexer est plein de bon sens. Mais il faut adapter l'indexation à l'objectif envisagé. Prenons l'exemple du lait, aussi important pour le développement physique des jeunes que l'éducation l'est pour leur développement intellectuel. Afin de suivre le coût de production, la Régie des marchés agricoles et alimentaires a augmenté le prix du lait de 3,2 % depuis 15 ans. La même logique commande que les droits de scolarité soient indexés non pas sur les prix à la consommation, mais sur le coût de la formation universitaire. On fera ainsi d'une pierre deux coups : ça stabilisera la part étudiante et ça mettra de la pression sur les universités pour qu'elles maîtrisent leurs coûts. (La version originale de ce texte a été publiée en novembre 2012.)

***

CHAPITRE 5 // LA SANTÉ

La prévention est la clé

André Chagnon, l'entrepreneur-électricien qui a fondé Vidéotron en 1964, a connu un succès éclatant, puis a vendu l'entreprise à Quebecor pour 1,8 milliard de dollars en 2000. Plutôt que de partir à la retraite en Floride ou en Polynésie avec sa fortune, André Chagnon en a déposé les trois quarts dans une œuvre philanthropique, la Fondation Lucie et André Chagnon, qu'il préside maintenant lui-même. Nouvelle carrière.

Que fait-il avec tout ce fric ? Il est en train de brancher le Québec sur la prévention de la maladie et sur le succès scolaire. C'est gros, mais il n'y a rien qui résiste à un véritable entrepreneur. André Chagnon a compris que la prévention a le potentiel pour devenir, en ce XXIe siècle, la principale source d'amélioration de notre bien-être individuel et collectif. Comme le dit la publicité des pharmacies Brunet: « Vous avez la santé. C'est tout ce qui compte ! »

Le tableau ci-dessous, tiré d'une étude récente publiée dans la revue officielle de l'American Medical Association, montre qu'André Chagnon a raison. Les auteurs ont calculé qu'en 2000, aux États-Unis, près de la moitié des décès étaient liés à des comportements à risque. La situation au Québec n'est sans doute pas exactement la même, mais il serait surprenant qu'elle soit bien différente.

Depuis très longtemps, le tabagisme est le champion des comportements nuisibles à la santé. Le tableau indique que la mauvaise alimentation et la sédentarité – causes importantes d'obésité – menacent de le déloger. En 2004, 22 % de la population adulte du Québec était obèse et, au total, 56 % souffrait d'un excès de poids. La situation s'est détériorée partout dans le monde, au point que l'Organisation mondiale de la santé considère maintenant l'obésité comme une épidémie planétaire.

Si on veut que les choses s'améliorent de façon durable, il faut commencer par le commencement, c'est-à-dire en éduquant les jeunes, à l'école et par l'intermédiaire de leurs parents. La Fondation Chagnon s'est donc engagée à fond dans le combat pour la promotion de la santé en milieu scolaire et dans la population à l'échelle locale. Elle s'est donné pour mission de transmettre aux jeunes de saines habitudes en matière d'alimentation, d'activité physique, de renoncement au tabac, de gestion du stress, etc., de façon à éliminer les comportements les plus nocifs pour la santé. La réussite scolaire est la base qui soutient cet effort. Plus on est

DÉCÈS LIÉS AUX COMPORTEMENTS À RISQUE AUX ÉTATS-UNIS EN 2000

CAUSE DU DÉCÈS	POURCENTAGE SUR L'ENSEMBLE DES DÉCÈS
Tabagisme	18 %
Mauvaise alimentation et sédentarité	15 %
Alcoolisme	4 %
Agents microbiens évitables	3 %
Exposition à des agents toxiques	2 %
Accidents d'automobile	2 %
Armes à feu	1 %
Comportement sexuel	1 %
Drogues illicites	1 %
Total	47 %

(Source : A.H. Mokdad *et al.*, *Journal of the American Medical Association*, mars 2004)

instruit, moins on est pauvre, moins on est malade et moins on meurt jeune.

Mon confrère Luc Godbout, de l'Université de Sherbrooke, et moi-même avons eu le privilège de préparer, avec la Fondation Chagnon, un mémoire sur l'importance de la prévention à l'intention du groupe de travail Castonguay. Nous nous réjouissons que celui-ci ait repris nos propos. Si on s'y met vraiment, la prévention ne fera pas qu'améliorer notre santé. Elle nous fera aussi économiser beaucoup d'argent. D'une part, une population en meilleure santé coûtera moins cher en services médicaux ; d'autre part, elle sera économiquement plus productive, elle paiera plus d'impôts et sa contribution financière à la santé sera plus importante.

Prenons un exemple : Pierre Ouellette, professeur à l'UQAM, a démontré, en 1998, que la Loi sur le tabac adoptée alors par le gouvernement du Québec pourrait faire diminuer le tabagisme de moitié. Selon lui, à terme, cela enrichirait le budget de la santé d'un milliard de dollars. Dix ans plus tard, on constate qu'il s'est vraisemblablement trompé. Il se pourrait que l'économie soit finalement de 1,5 milliard de dollars !

Vous pensez peut-être que les entrepreneurs sont des bandits. Essayez tout de même de trouver quelques exceptions. Il y en a.

(La version originale de ce texte a été publiée en avril 2008.)

Un gouffre financier à combler

En 2010, les Québécois ont payé 40 milliards de dollars pour les soins de santé qu'ils se sont procurés. Parmi les pays avancés, seuls les États-Unis dépensent plus que nous en proportion de leurs moyens. En même temps, le dernier classement international place le système de santé canadien — le nôtre, en somme — au 30e rang mondial en matière de performance globale. Bref, nous sommes sur le podium pour l'effort financier et dans la cave pour la performance. La compétence de notre personnel étant irréprochable, c'est forcément l'organisation du système qui est en cause.

Il y a plus inquiétant encore. De 2000 à 2010, la croissance annuelle de nos dépenses de santé a été presque deux fois plus importante que celle de l'économie. Or, au cours des deux décennies à venir, un revirement de tendance est peu probable. Au contraire, le vieillissement de la population accentuera la pression à la baisse sur la croissance de l'économie et à la hausse sur les dépenses de santé et de services sociaux. Le cas échéant, il faudra ajouter au budget de la santé, en sus de ce que permettra la croissance économique, quelque 13 milliards de dollars en 2020 et 44 milliards en 2030. L'énormité de ces chiffres se passe de commentaire.

Comment trouver le financement nécessaire ? En augmentant encore les impôts, taxes et tarifs ? Au rythme où vont les choses, cela finirait par faire du Québec l'une des sociétés les plus taxées au monde, en compagnie du Danemark et de la Suède. Ce serait un autre podium pour le Québec. Pas sûr que c'est le genre de médaille qu'aimeraient gagner nos concitoyens.

Supplier Ottawa d'envoyer de l'argent? Le problème avec cette approche classique, c'est que, depuis 2006, la stratégie économique fédérale a changé. Elle favorise maintenant les baisses d'impôts et de taxes de même que la réduction des dépenses. Il faut souhaiter bon succès aux provinces pour leurs nouvelles demandes. Mais comme Ottawa finance seulement le quart de la santé, la manne fédérale ne pourrait régler plus qu'une petite fraction du problème dans la meilleure des hypothèses. Malheureusement, les chances sont minces que, dans les prochaines années, une manne fédérale les aide à résoudre leurs problèmes financiers.

Mettre le couvercle sur la marmite? On s'y est essayé, en gelant les dépenses du système de santé pendant cinq ans, de 1991 à 1996. Ce fut alors une telle explosion de colère dans la population devant les ratés du système que le gouvernement dut revenir aux taux de croissance annuels de plus de 6 % que nous connaissons depuis 15 ans.

Limiter les autres missions de l'État afin de laisser plus d'espace à la santé dans le budget? Cette stratégie est déjà utilisée à plein. La part totale des « autres secteurs » dans les dépenses de programmes du Québec est passée de 60 % en 2000 à 55 % en 2011. On commence déjà à en voir les dommages sur le volume et la qualité des services publics. (Je vous fais grâce des exemples.) Voulons-nous aller beaucoup plus loin dans cette direction?

La seule option qui nous reste est de réformer en profondeur nos façons de faire en santé afin d'améliorer notre performance et de contenir les coûts de manière durable. Depuis 20 ans, le gouvernement du Québec a reçu pas moins de neuf rapports en matière de santé. Ils contiennent une foule de propositions qui visent à améliorer notre performance en s'inspirant des meilleurs systèmes au monde, comme ceux de la France, de la Belgique et des Pays-Bas.

Malheureusement, pour une bonne part, ces propositions sont restées sans suite. L'immobilisme de nos gouvernements successifs s'explique par la honte d'avoir à admettre que notre système souffre de déficiences majeures, par l'emprise des bureaucraties administratives, syndicales et professionnelles, par la hantise idéologique du privé et par la conviction que l'argent d'Ottawa finira toujours par sauver la situation. Aujourd'hui plus que jamais, le Québec aurait besoin de leaders à la fois humbles, rassembleurs et pragmatiques qui surmonteraient ces difficultés et proposeraient une réforme basée sur le bon sens des systèmes qui marchent. (La version originale de ce texte a été publiée en mai 2011.)

CHAPITRE 6 // RICHESSE ET PAUVRETÉ

Attention à la condition masculine !

Autrefois, en raison de la différence de force musculaire, on disait que les hommes formaient le sexe fort et les femmes, le sexe faible. Mais aujourd'hui, la force physique compte de moins en moins. Les preuves scientifiques démontrent que, sous bien des aspects, le sexe faible n'est pas celui qu'on pense.

La faiblesse des garçons se manifeste dès les premières années d'école : les filles réussissent mieux et persévèrent plus longtemps dans leurs études que les garçons. À l'université, elles forment maintenant plus de 60 % des effectifs étudiants.

Sur le plan familial, le comportement des hommes est davantage instable que celui des femmes. Dans les couples, la violence physique est surtout un phénomène masculin. Lorsqu'il y a rupture, c'est plus souvent l'homme qui quitte sa conjointe que l'inverse. Selon les chiffres de Statistique Canada, les femmes représentent 82 % des chefs de familles monoparentales du Québec. Les garçons ont ainsi beaucoup moins de chances de vivre avec leur père naturel que les filles avec leur mère biologique. Les jeunes Québécois se suicident cinq fois plus que les jeunes Québécoises et sont impliqués dans des délits criminels trois fois plus souvent.

Malgré les grossesses, les femmes sont plus nombreuses que les hommes à survivre entre les âges de 15 et 50 ans. Après 50 ans, les hommes sont encore plus souvent et plus longtemps malades que les femmes. Ils peuvent alors espérer vivre jusqu'à 77 ans; les femmes, jusqu'à 83 ans.

Particulièrement depuis la Deuxième Guerre mondiale, la condition féminine a subi des transformations radicales sur le plan économique et social. Les femmes sont de plus en plus présentes sur le marché du travail. En 1960, ce sont 21 % d'entre elles qui occupaient un emploi au Québec. Aujourd'hui, ce pourcentage a grimpé à 58 %, soit 14 points de moins que les hommes, qui sont à 72 %. En Alberta, la proportion des femmes au travail atteint déjà 66 %.

Il est vrai qu'au Québec et ailleurs au Canada les hommes sont encore mieux rémunérés (de 6 % en moyenne) que les femmes. Mais l'écart entre les deux groupes a commencé à se refermer: il était de 20 % il y a seulement 30 ans. Le chômage frappe maintenant les hommes plus que les femmes. La pauvreté des hommes augmente, celle des femmes diminue. La persévérance scolaire de ces dernières a déjà des conséquences majeures dans la hiérarchie du travail. La prédominance des femmes, plus instruites, dans les professions et métiers de haute spécialisation a déjà commencé à changer la face de l'économie.

On en sait de plus en plus sur les sources des problèmes masculins. On comprend déjà que la forte incidence du tabagisme, de la sédentarité et de la mauvaise alimentation parmi les hommes est une cause importante de leur plus faible espérance de vie. Grâce à une longue recherche sur les enfants montréalais effectuée par le professeur Richard Tremblay, de l'Université de Montréal, nous savons maintenant avec certitude que les premières manifestations de violence apparaissent chez les tout-petits. C'est en très bas âge que les enfants doivent apprendre à gérer leur stress et leurs émotions fortes. Après, c'est souvent trop tard.

Cela confirme l'extrême importance de la qualité des soins en famille et en garderie. L'école doit s'en mêler elle aussi. On voit heureusement se multiplier les initiatives visant à réconcilier les garçons avec l'environnement scolaire et, par conséquent, à les rendre plus calmes, plus performants et plus persévérants. Enfin, l'intégrité de la famille et le modèle du père posent des questions lancinantes. Pourquoi y a-t-il au Québec 26 % plus de familles monoparentales que dans le reste du Canada ? Pourquoi si peu de ces familles sont-elles dirigées par les pères ? Y a-t-il un lien entre le taux exorbitant de suicide chez les jeunes hommes et l'absence des pères naturels ?

Depuis 50 ans, la condition féminine domine les préoccupations. Tout est encore loin d'être parfait pour les femmes. Mais il était temps qu'on commence à s'attaquer aussi aux problèmes des hommes. (La version originale de ce texte a été publiée en octobre 2003.)

Comment faire payer les riches !

Les riches, au Québec, sont moins fortunés et plus taxés qu'ailleurs en Amérique du Nord. Mais ce n'est pas ce que nous aimons croire. Nous faisons plus naturellement confiance à ceux qui nous répètent que les riches bénéficient de généreux crédits d'impôt, pratiquent l'évasion fiscale à grande échelle et vont mettre leurs revenus à l'abri dans les paradis fiscaux. Ces dernières années tout particulièrement, beaucoup de riches escrocs ont été démasqués et condamnés. Et c'est sans doute loin d'être fini. Face à ces malversations, une seule stratégie s'impose : continuer à poursuivre les bandits et à combattre l'évasion et les paradis fiscaux avec toujours plus de vigueur.

Néanmoins, tout compte fait, la contribution des riches du Québec au financement de nos services publics est honorable. En 2003, le revenu moyen des 20 % des familles les plus riches du Québec a été de 75 000 dollars. Toutes déductions comprises, le fisc leur en a retenu 24 %. Après impôts et transferts, il leur est resté 57 000 dollars. En Ontario, pendant ce temps, les 20 % les plus nantis ont gagné en moyenne 93 000 dollars. Leur ponction fiscale a été de 22 %, ce qui leur a laissé 73 000 dollars. Dans la plupart des autres États d'Amérique du Nord, les riches sont, comme en Ontario, plus fortunés et moins taxés que ceux du Québec. Le Québec a parfaitement le droit de se donner un fardeau fiscal plus lourd afin de financer plus de services publics que les autres. Mais ceux qui passent leur temps à répéter que, collectivement, les riches du Québec ne fournissent pas leur part se trompent.

Voilà pour l'impôt des particuliers. Mais qu'en est-il de l'impôt sur les profits des sociétés et du fardeau fiscal de leurs riches actionnaires? Lorsqu'ils étaient au pouvoir, les libéraux ont proposé des réductions de l'impôt fédéral sur les profits des sociétés. Ces baisses d'impôt ont été maintenues, pour l'essentiel, par les conservateurs de Stephen Harper. Est-ce à dire que le fardeau fiscal des actionnaires des entreprises sera allégé, tandis que la classe moyenne sera « laissée sur le carreau » ?

Pas du tout, et pour deux raisons. Premièrement, le gouvernement fédéral a aussi annoncé une baisse de 11 milliards de l'impôt des particuliers d'ici 2010. Les réductions envisagées viseront tout particulièrement la classe moyenne et seront trois fois plus importantes que les allégements prévus pour l'impôt des sociétés. Deuxièmement, même si ce sont les actionnaires des entreprises qui paient officiellement la facture comptable de l'impôt sur les profits, cela ne signifie pas qu'ils en supportent le fardeau. Ils peuvent refiler la majeure partie de la note à leurs clients en leur vendant les produits plus cher; à leurs employés en les forçant à se contenter de salaires moindres; à leurs fournisseurs en exigeant qu'ils abaissent leurs prix. Dans le monde des entreprises, un tel comportement est la règle plutôt que l'exception.

Bref, alors qu'aux yeux du comptable ce sont les actionnaires qui paient l'impôt sur les profits, dans les faits, clients, employés, fournisseurs et actionnaires se partagent la charge. Des chercheurs croient que, paradoxalement, l'impôt sur les profits pourrait faire plus de mal au petit salarié qu'au gros actionnaire. Quand le profit de l'entreprise ne fait pas son affaire, le gros actionnaire peut toujours s'en aller ailleurs, là où le rendement est meilleur. Le petit salarié, lui, a rarement le choix: il prend ce qu'on lui donne.

La Suède socialiste a compris cela. Dans ce pays, les impôts des entreprises sur leurs nouveaux investissements sont trois fois plus faibles qu'au Québec et au Canada. Les Suédois ne sont pas fous. Ils ont saisi que les entreprises sont des machines à créer l'emploi et la richesse, et que surtaxer l'investissement est la meilleure manière de freiner le progrès économique. En Suède, le fisc attrape les riches « d'aplomb » — ce qui est parfaitement acceptable —, mais il le fait par le truchement de l'impôt des particuliers, pas par celui des sociétés. Malheureusement, bien des socialistes québécois n'ont pas encore pigé. Ils en sont restés à la vision primaire qui conçoit l'impôt sur les profits comme un instrument de lutte des classes. Ils ne se rendent pas compte que l'impôt des sociétés fait plus de mal aux petits salariés qu'ils veulent défendre qu'aux riches actionnaires qu'ils veulent détrousser.

Un petit voyage en Suède leur ferait peut-être du bien. (La version originale de ce texte a été publiée en juin 2006.)

Les exemptés du fisc

En 2004, 42 % des Québécois de 18 ans ou plus, soit 2,5 millions de personnes, n'ont payé aucun impôt provincial sur le revenu des particuliers. Est-ce que ce pourcentage est plus élevé au Québec qu'ailleurs au Canada ? Non. Comme le démontre le tableau page 84, la proportion des adultes qui ne payaient pas d'impôt provincial en 2004 était un peu plus élevée au Québec que dans les provinces de l'Atlantique, mais elle était la même qu'en Ontario et un peu plus basse que dans l'Ouest. Le Québec se situait exactement au niveau de la moyenne canadienne. Il n'y a pas dans ce domaine de « société distincte ».

Mais n'est-il pas vrai que plus de Québécois adultes sont exempts de l'impôt provincial sur le revenu des particuliers aujourd'hui qu'il y a 25 ans ? Là encore, non : 44 % n'en payaient pas en 1980, contre seulement 42 % en 2004. Dans l'intervalle, il y a eu des hauts et des bas, mais la moyenne annuelle s'est maintenue autour de 43 %.

On peut néanmoins se demander pourquoi tant de particuliers ne paient pas d'impôt provincial sur le revenu. La réponse est qu'en 2004, sur les 6 millions d'adultes du Québec, 2,9 millions — presque la moitié — ont eu un revenu personnel inférieur à 20 000 dollars. Les trois quarts de ces derniers, soit 2,1 millions, n'ont pas travaillé de l'année. Ils étaient étudiants, retraités, malades, chômeurs ou retenus à la maison par leurs obligations familiales ou personnelles. L'immense majorité d'entre eux dépendaient du soutien financier de leur famille ou de prestations de l'État : assurance-emploi, aide sociale, pension de vieillesse, supplément de revenu garanti, rente du Québec, santé et sécurité du travail, aide financière aux étudiants, etc.

Or, avec un revenu personnel de 0 à 20 000 dollars, on ne paie pas beaucoup d'impôt une fois les exemptions et déductions habituelles soustraites du revenu imposable. Le plus souvent, même, on n'en paie pas du tout. En fait, sur les 2,5 millions de Québécois qui n'ont pas payé d'impôt sur le revenu des particuliers au Trésor québécois en 2004, 92 % faisaient partie du groupe dont le revenu personnel était inférieur à 20 000 dollars.

Attention, cependant: les particuliers qui sont exempts d'impôt sur le revenu ne sont pas sans contribuer au Trésor québécois! Ils paient la taxe de vente du Québec (TVQ) sur leurs biens de consommation, les taxes sur l'essence et les cigarettes, les droits d'immatriculation des véhicules, et ainsi de suite. Ils ajoutent aussi au revenu des entreprises d'État par leurs achats auprès d'Hydro-Québec, de Loto-Québec, de la Société des alcools, etc. Enfin, ceux qui ont un emploi cotisent au Régime de rentes du Québec. On peut ainsi estimer qu'en 2004 les personnes qui n'ont pas payé d'impôt ont en fait versé trois milliards de dollars en taxes, achats et cotisations à l'État. En gros, un dollar sur chaque tranche de huit dollars récoltés par le Trésor québécois provient de leurs goussets.

N'empêche. Un trop grand nombre de nos concitoyens ne paient pas d'impôt, parce que leur revenu est trop bas. Pour changer les

POURCENTAGE DE LA POPULATION ADULTE QUI N'A PAS PAYÉ D'IMPÔT PROVINCIAL SUR LE REVENU DES PARTICULIERS EN 2004

Atlantique	40 %
Québec	42 %
Ontario	42 %
Ouest	43 %
Moyenne canadienne	42 %

(Sources: ministères des Finances du Canada et du Québec; Statistique Canada)

choses, avec le temps, nos principales armes de combat sont une lutte sans merci contre le décrochage et un appui ferme à la persévérance scolaire. C'est prouvé : l'éducation demeure la principale force pour faire progresser le pourcentage de la population qui occupe de bons emplois – et qui paie de l'impôt.

NDA : Depuis 2004, les chiffres ont évolué de façon à confirmer le diagnostic porté dans la chronique telle que publiée. (La version originale de ce texte a été publiée en décembre 2007.)

CHAPITRE 7 // QUESTIONS DE SOCIÉTÉ

Pierre Mailloux a tort

Le quotient intellectuel (QI) qu'une personne obtient en passant un test d'intelligence a une grande importance économique. Il est clairement établi que plus son QI est élevé, plus elle a de chances d'avoir un revenu élevé. La question prend une dimension collective quand ce sont des groupes entiers qui ont un QI inférieur à la moyenne. On observe, par exemple, que le QI moyen des Noirs vivant aujourd'hui en Amérique du Nord est inférieur à celui des Blancs. Au début du XXe siècle, les Juifs américains, eux aussi, ont eu un QI inférieur à la moyenne nationale.

Le problème avec le QI, c'est qu'il reflète à la fois le bagage génétique dont une personne hérite à sa naissance et la condition sociale dans laquelle elle se développe. Un enfant, par exemple, peut être bien ou mal nourri, riche ou pauvre, stimulé ou pas, victime de discrimination ou pas, etc. Dans le cas des Noirs, il faut donc se demander si la faiblesse actuelle de leur QI dépend de leur bagage génétique ou de leur condition sociale. Si la cause est génétique, leur infériorité économique serait difficile, voire impossible, à renverser, puisqu'il s'agirait d'un caractère quasi immuable. Si c'est le milieu social qui en est à l'origine, alors la partie serait loin d'être perdue pour eux, puisque ce milieu, lui, peut changer. C'est ce qui est arrivé avec les Juifs américains. On sait maintenant que ces derniers n'étaient pas génétiquement inférieurs. C'est en raison de leur condition sociale qu'ils obtenaient autrefois un QI plutôt faible. Aujourd'hui, leur QI dépasse la moyenne américaine.

Lors de son passage à *Tout le monde en parle,* à la télévision de Radio-Canada, le 25 septembre dernier, le psychiatre-animateur Pierre Mailloux a donné son appui à une interprétation génétique du QI des Noirs. Se basant sur un livre américain à succès publié en 1994, *The Bell Curve,* il a affirmé que si les Noirs d'Amérique du Nord ont un QI moyen inférieur à celui des Blancs, c'est parce que ce sont les Africains les plus forts, et non les plus intelligents, qui furent jadis sélectionnés pour travailler comme esclaves dans les plantations des Antilles et des États-Unis. Malheureusement pour le Dr Mailloux, les preuves scientifiques accumulées jusqu'ici appuient massivement l'hypothèse que ce sont les différences de condition sociale, et non pas les différences génétiques, qui expliquent l'écart de QI entre Noirs et Blancs.

En 1961, le chercheur allemand Klaus Eyferth a fait passer un test d'intelligence à un grand nombre d'enfants dont la mère était allemande et le père un militaire noir ou blanc qui faisait partie des armées d'occupation en Allemagne. Malgré la différence génétique entre les enfants de pères noirs et ceux de pères blancs, il n'a pu détecter aucune différence appréciable de QI entre les deux groupes. Dans un milieu social homogène, l'écart interracial de QI avait disparu.

Plus tard, en 1974, la chercheuse britannique Barbara Tizard a administré un test d'intelligence à deux groupes d'enfants, noirs et blancs, élevés dans un même orphelinat. Encore une fois, dans un milieu identique, aucune différence de QI n'a été notée entre les deux groupes.

Une découverte fondamentale a été faite en 1984 par le chercheur néo-zélandais James Flynn. Il a observé qu'au cours d'une période de 50 ans (de 1930 à 1980) le QI moyen de la population américaine avait énormément augmenté, même si son bagage génétique n'avait pas pu changer beaucoup. La preuve était irréfutable que le milieu social avait un effet considérable sur les résultats des tests d'intelligence. De plus, Flynn s'est rendu compte que l'écart de QI entre les Blancs de 1980 et ceux de 1930 était encore plus important que l'écart de QI entre les Blancs et les Noirs de 1980. On pouvait dès lors envisager que le QI des Noirs puisse rattraper celui des Blancs, pour peu que leur condition sociale s'améliore. En fait, le chercheur a trouvé que le QI moyen des Noirs avait augmenté plus rapidement que celui des Blancs pendant les décennies précédentes. La tendance s'est poursuivie depuis 25 ans.

Une seule conclusion s'impose: Pierre Mailloux a eu tort. Les Noirs ne souffrent collectivement d'aucun désavantage de nature génétique. Si leur condition sociale continue de s'améliorer, rien n'empêchera un jour leur QI — et leur niveau de vie — de rejoindre, voire de dépasser, ceux des Blancs. (La version originale de ce texte a été publiée en décembre 2005.)

Environnement : course contre la montre... avec obstacles

Si on laisse aller le réchauffement climatique, l'économie mondiale sera durement éprouvée. Selon un rapport que l'ex-économiste en chef de la Banque mondiale, sir Nicholas Stern, remettait au premier ministre de la Grande-Bretagne, Tony Blair, le niveau de vie mondial diminuera même de 5 % à 20 %.

Il s'agit d'un très grand défi posé à nos économies et à nos institutions politiques. La question est de savoir comment nous nous y prendrons pour réduire rapidement et massivement nos émissions de gaz carbonique (CO_2), principal gaz à effet de serre, afin de ralentir la progression du taux de carbone dans l'atmosphère, puis de le stabiliser.

La concentration de CO_2 s'est accrue de plus de 50 % depuis 200 ans. Cette augmentation a épousé étroitement la courbe d'accélération de l'usage des énergies fossiles (charbon, pétrole et gaz naturel). L'examen des carottes de glace de l'Antarctique a révélé que le taux de CO_2 dépasse maintenant de loin les variations naturelles des 650 000 dernières années.

Comme le CO_2 emprisonne la chaleur dans l'atmosphère, sa concentration accrue transforme de plus en plus la planète en serre chaude. La température moyenne mondiale a déjà augmenté de 0,5 °C depuis 1980. Les plus grands savants du globe réunis par les Nations unies sont formels : le réchauffement récent est très probablement le résultat de l'activité humaine et non de facteurs naturels. Ils estiment que les 30 milliards de tonnes de CO_2 émises chaque année équivalent au double de ce que les forêts de la terre sont capables d'absorber. Ils en déduisent que la température de la planète montera encore de 2 °C à 5 °C d'ici la fin du siècle. C'est à faire dresser les cheveux sur la tête.

Des bouleversements majeurs de l'écologie terrestre s'ensuivront: le niveau des mers montera; le climat sera plus instable; on manquera d'eau potable ici et là; l'agriculture subira des changements brusques; des populations entières voudront se déplacer vers des régions moins chaudes.

Il y a tout de même de l'espoir. Tout indique que si on leur donne les bons signaux, les consommateurs et les entreprises accepteront d'envoyer moins de résidus du charbon, du pétrole et du gaz naturel dans l'atmosphère. Au départ, on n'aura pas le choix: les taxes sur ces combustibles fossiles devront augmenter. (Désolé, je n'y peux rien.) Il faudra multiplier les « Bourses du carbone », qui rendront le CO_2 plus coûteux à émettre pour les entreprises. Empêcher la surexploitation des forêts, parce qu'elles aident à absorber le CO_2. Encourager les technologies de captage et de stockage sur terre des gaz à effet de serre. Réglementer les pires sources de CO_2: l'extraction pétrolière, la production thermique d'électricité, le transport, l'exploitation des sols, la construction. Promouvoir la recherche de nouvelles énergies plus propres.

Gérer les émissions de gaz carbonique à l'échelle mondiale ne sera pas une mince tâche. Cela exigera une action *collective,* donc politique, et non seulement individuelle. Premier obstacle: bien des gens refusent encore d'admettre le lien entre l'usage des énergies fossiles et le réchauffement planétaire. Ce sont sans doute les mêmes qui continuent à nier le lien entre la cigarette et le cancer du poumon. Deuxième obstacle: à supposer que les différents pays reconnaissent le problème, ils ne s'entendront pas nécessairement sur la solution. Il a fallu toute une décennie pour négocier le timide protocole de Kyoto. Troisième obstacle: même là où on admet la solution, on peut néanmoins refuser d'agir. Des pays comme le

Canada, les États-Unis, la Chine et l'Inde relâchent ensemble 15 milliards de tonnes de CO_2 par année, mais refusent actuellement d'appliquer le protocole. La résistance politique de divers groupes dans ces pays est extrêmement vive. Ils veulent tous le bien de l'humanité, mais ils ne veulent pas payer.

Non seulement nous sommes engagés dans une course contre la montre, mais c'est une course d'obstacles. (La version originale de ce texte a été publiée en avril 2007.)

Payer les mères à la maison ? Tout le monde y perdrait !

L'été dernier, un sondage de Léger Marketing a permis de constater que, dans les deux tiers des familles québécoises, l'un des parents serait prêt à rester à la maison pour prendre soin des enfants d'âge préscolaire si l'État lui versait une allocation équivalente à la subvention qui est accordée pour une place en garderie subventionnée (CPE ou autre). On parle ici d'une subvention annuelle d'environ 9 000 dollars. L'offre de l'État serait évidemment plus alléchante pour les familles moins nanties.

Si le sondage dit juste, on peut estimer à 150 000 le nombre de parents d'enfants de 0 à 5 ans (surtout des mères) qui seraient prêts à quitter l'emploi qu'ils occupent pour rejoindre le contingent des 100 000 parents déjà au foyer. À un salaire annuel moyen de 25 000 dollars, la perte collective de revenu des 150 000 parents qui cesseraient de travailler serait de 3,7 milliards de dollars. L'État québécois, lui, devrait verser 2,3 milliards en allocations de 9 000 dollars aux 250 000 familles participantes. Il ferait évidemment des économies d'aide sociale, de places en garderie et de crédits d'impôt. Par contre, la baisse du revenu collectif de 3,7 milliards le priverait de centaines de millions en impôts et taxes. Le coût net de cette mesure resterait supérieur à 2 milliards.

Cette dépense annuelle de 2 milliards serait un morceau énorme à avaler pour l'État. Cela exigerait qu'il prélève l'équivalent de 500 dollars de plus par année en impôt sur le revenu par contribuable qui resterait au travail. La proposition dépasse la capacité financière actuelle du Québec et de ses habitants. Mais il faut aussi la rejeter parce qu'elle est rétrograde sur le plan social. Une bonne garderie fait acquérir aux enfants des aptitudes cognitives : écouter, observer, parler, dessiner, compter, lire et écrire. Elle leur apprend la patience, la persévérance, la responsabilité, la discipline, l'estime de soi, la capacité d'interagir avec les autres, la générosité et la maîtrise des émotions. Or, la recherche contemporaine a démontré que ce sont les enfants des milieux défavorisés qui profitent le plus de ces services éducatifs. En encourageant les familles moins nanties à délaisser nos garderies subventionnées, nous mettrions en danger le bien-être des enfants les plus à risque.

Payer les mères pour qu'elles restent à la maison irait aussi à l'encontre de décennies d'efforts visant à améliorer la position des femmes à l'intérieur comme à l'extérieur du foyer. En poussant celles-ci à rentrer à la maison, on donnerait aux hommes le plus beau prétexte pour cesser de partager les tâches du ménage et l'éducation des enfants. Et dans un pays où la durée moyenne de vie des couples est inférieure à 10 ans, la cassure prolongée qu'on introduirait dans les carrières des femmes augmenterait le risque financier que représente pour elles une séparation ou un divorce.

S'il avait 400 millions de dollars de plus à dépenser par année pour sa politique familiale, le Québec pourrait envisager d'offrir une allocation pour la garde de tous les enfants de 12 à 24 mois qui ne sont pas en garderie subventionnée, mais sans exiger qu'un des deux parents cesse de travailler. La Norvège le fait, mais elle est plus riche que le Québec de 58 %. Pour l'instant, il est plus sage de construire sur les bases que nous avons posées. Instaurer le temps partiel dans les services de garde subventionnés. Investir dans la formation du personnel. Augmenter la contribution des familles qui en ont les moyens. Développer la maternelle pour les enfants de quatre ans.

(La version originale de ce texte a été publiée en décembre 2010.)

***

Garderies : pourquoi tout le monde y gagne

Le nombre de Québécoises de 20 à 54 ans qui occupent un emploi a augmenté de 250 000 depuis 15 ans. Ce bond spectaculaire a eu pour conséquence qu'il y a maintenant plus de femmes sur le marché du travail au Québec qu'en Ontario. On se doute bien que le programme de garderies à tarif réduit y est pour quelque chose. Il y a 15 ans, avant son lancement, seulement un enfant d'âge préscolaire sur six bénéficiait d'une place subventionnée en garderie au Québec. Aujourd'hui, c'est un enfant sur deux, et la demande de places dépasse encore largement l'offre.

Les garderies à sept dollars aident les parents à concilier leurs responsabilités familiales et leur travail. Mes confrères Pierre Lefebvre et Phil Merrigan, de l'UQAM, ont employé des méthodes statistiques fines pour estimer l'influence des garderies à tarif réduit sur l'activité des femmes au Québec. Ils ont distingué deux effets : un effet d'« impact » sur l'emploi des mères d'enfants d'âge préscolaire et un effet de « persistance », découlant du fait que certaines mères qui ont commencé à travailler pendant que leur enfant fréquentait la garderie continuent à occuper un emploi une fois qu'il est entré à l'école.

À partir des travaux de Lefebvre et Merrigan, une équipe de la chaire de recherche en fiscalité de l'Université de Sherbrooke, composée de Luc Godbout, de Suzie St-Cerny et de moi-même, a récemment poussé plus loin l'étude des effets du programme de garderies subventionnées. Nous avons estimé qu'en 2008 il avait fait augmenter de 70 000 le nombre de Québécoises qui occupaient un emploi et de 5,1 milliards de dollars le revenu total en circulation dans l'économie.

Ce supplément de richesse de 5,1 milliards au Québec a permis aux gouvernements provincial et fédéral de récolter plus d'impôts et de taxes chez les particuliers et dans les entreprises, et de verser moins de prestations aux familles, celles-ci s'étant enrichies. Nous avons calculé qu'à eux deux ils ont ainsi engrangé des retombées fiscales totalisant 1,9 milliard de dollars. De cette somme, 1,3 milliard a été encaissé par le gouvernement du Québec. Les 600 millions restants se sont retrouvés dans les coffres fédéraux.

Comment les retombées fiscales de 1,3 milliard dont a ainsi bénéficié Québec (en 2008) se comparent-elles à l'excédent qu'il a dû verser en subventions pour le programme des garderies à sept dollars par rapport à ce que lui aurait coûté l'ancien programme des services de garde à l'enfance ? Nous avons estimé que, cette année-là, le gouvernement du Québec a dû payer un milliard de dollars de plus en subventions que sous l'ancien programme. Par conséquent, il a pu réaliser un gain net de 300 millions de dollars.

En plus de jouir d'une très grande popularité, le programme des garderies à sept dollars s'avère donc une opération financière annuelle rentable pour les gouvernements. Les jeunes familles de toutes les classes de la société, les pauvres comme les riches, y ont largement recours. Naturellement, il soulève des critiques, par exemple sur le développement du réseau de garderies, les règles d'attribution des places, la souplesse des horaires, la contribution financière des familles aisées, la formation du personnel et la qualité des services éducatifs. Ces critiques sont souvent pertinentes. Il faut les recevoir comme autant de défis de croissance à relever. Mais ce n'est plus le temps de tout recommencer à zéro. (La version originale de ce texte a été publiée en août 2012.)

***

CHAPITRE 8 // LE MODÈLE QUÉBÉCOIS

Brisons les monopoles publics !

Lorsque « l'équipe du tonnerre » de Jean Lesage accéda au pouvoir, en 1960, le tiers seulement des jeunes adultes du Québec avaient un diplôme en poche. Pendant les années 1950, le Québec avait été porté par l'expansion économique de l'après-guerre, mais il n'était pas parvenu à réduire l'écart de 21 % qui séparait son niveau de vie de celui de la province voisine, l'Ontario. Le salaire moyen des Québécois francophones unilingues équivalait à seulement 52 % de celui des anglophones. Les entreprises francophones offraient moins de la moitié des emplois sur le territoire québécois. Lorsque l'écrivain Pierre Vallières nous a appelés « nègres blancs d'Amérique », on l'a accusé d'exagérer. Mais en fait, il clamait l'exacte vérité : la situation économique des francophones par rapport à celle des anglophones du Québec était en tous points comparable à la situation économique des Noirs par rapport à celle des Blancs des États-Unis.

Face à l'urgence de mettre fin au « retard économique du Canada français », le gouvernement Lesage annonça clairement son intention : se servir de l'État afin de combattre le décrochage scolaire, de créer la richesse, de la répartir équitablement et de promouvoir une plus grande maîtrise de l'économie par les francophones.

Depuis 1960, l'activité de l'État québécois s'est énormément accrue. Dès le départ, le gouvernement Lesage modernisa la fonction publique. Coup sur coup apparurent l'assurance hospitalisation, les allocations scolaires, les écoles polyvalentes, le Régime de rentes du Québec et plusieurs sociétés d'État, comme la Société générale de financement et la Caisse de dépôt. L'électricité fut nationalisée. De 1960 à 1966, les dépenses provinciales triplèrent et le fardeau des taxes et impôts provinciaux doubla. Cela valut à Jean Lesage le sobriquet de « Ti-Jean la taxe » et contribua assurément à sa défaite électorale en 1966.

Qu'à cela ne tienne, l'État continua à grandir, et les dépenses publiques provinciales et municipales, à occuper une part croissante de l'activité économique du Québec. Elles sont finalement passées de 13 % de notre revenu intérieur en 1961 à 34 % en 2007. C'est, chaque année, 30 milliards de dollars de plus que si le Québec et ses municipalités dépensaient au même rythme que l'Ontario.

Il ne fait aucun doute qu'une grande partie du dessein économique de la Révolution tranquille a été accompli. Nous sommes allés à l'école en plus grand nombre. En 1960, 66 % des jeunes Québécois de 30 ans n'avaient aucun diplôme. Aujourd'hui... à peine 12 % ! (NDA : En 2012, seulement 10 % des 25-44 ans n'avaient aucun diplôme.) Selon l'OCDE, en 2006, nos enfants se classaient tout près du sommet mondial en matière de performance scolaire. Le combat contre le décrochage scolaire n'est pas fini, mais que de chemin parcouru en 50 ans ! Pour ce qui est du niveau de vie, notre retard sur l'Ontario est passé de 21 % en 1960 à 8 % en 2008. (NDA : En 2011, l'écart du niveau de vie entre le Québec et l'Ontario n'était plus que de 3 %.) La majeure partie de cet écart est d'ailleurs volontaire : les Québécois acceptent souvent un revenu moindre afin de s'offrir plus de temps libre.

Autre bonne nouvelle : la productivité de notre économie est comparable à celle de nos voisins ontariens. Nous travaillons peut-être moins d'heures qu'eux, mais à chaque heure passée au travail, nous produisons autant qu'eux. Sur le plan social, la pauvreté est moins répandue et les inégalités de revenus sont moins prononcées chez nous que partout ailleurs en Amérique du Nord. Au Québec, les riches sont beaucoup moins riches et plus imposés qu'en Ontario ou aux États-Unis.

Enfin, l'amélioration de la position relative des francophones a été fulgurante. Les francophones bilingues gagnent maintenant autant que les anglophones bilingues et 15 % de plus que les anglophones unilingues. Les entreprises francophones gèrent les deux tiers des emplois au Québec.

Il est impossible de déterminer avec exactitude quelle part de ces succès est attribuable à la Révolution tranquille. Chose certaine, celle-ci a donné une bonne poussée à la scolarisation des jeunes, à la révolution féminine, au financement des entreprises, à l'accès des francophones aux postes de commande et à la propriété, ainsi qu'à la mise en place d'une infrastructure énergétique propre et à bon marché.

Nous avons raison d'être fiers de ces progrès. Néanmoins, notre perception de l'État québécois s'est détériorée avec le temps. En 1960, l'État était porteur de tous nos espoirs. Aujourd'hui, il est source de bien des frustrations. Depuis 40 ans, les relations de travail dans le secteur public suintent la méfiance, parfois la haine. Les viaducs s'effondrent, un trop grand nombre de nos enfants décrochent encore de l'école, l'accès aux soins de santé est aléatoire, les milliards pour la santé disparaissent dans un trou noir, les infirmières sont à bout de souffle, les projets de construction sont lents à démarrer et coûtent trois fois plus cher que prévu.

Ces ratés multiples font percevoir l'État comme une grosse machine sans âme, sous-performante, étouffée par les bureaucraties administrative, syndicale et professionnelle, qui se bloquent mutuellement. On a l'impression que les groupes d'intérêts ont kidnappé le gouvernement, chacun cherchant à extraire le maximum d'avantages de l'État en faisant payer le reste de la collectivité. L'État est devenu la nourrice des entreprises, le père Noël des régions. Nos grands secteurs réglementés par l'État, comme l'électricité, l'agriculture, la santé et la construction, présentent des coûts inquiétants. Et depuis le fiasco financier des Jeux olympiques de 1976, le gouvernement essuie une crise financière majeure tous les 14 ans (1982, 1996, 2010; attention à 2024!).

Si nous voulons sortir de ces crises à répétition et bien nous préparer au choc démographique, il est clair que nous devrons revoir en profondeur nos façons de faire en santé, en éducation et en gestion des infrastructures. Il faudra défaire les monopoles publics et privilégier partout l'émulation, car le seul moyen d'être forcé à l'excellence, c'est d'être mis au défi par des gens qui font aussi bien ou mieux que nous. Vérifiez auprès de Jasey-Jay Anderson, d'Alexandre Bilodeau, de Charles Hamelin, de Jennifer Heil, de Clara Hughes, de Kim St-Pierre et des autres athlètes qui se sont surpassés aux Jeux de Vancouver.

Entre-temps, pourquoi ne pas accepter de relever le grand défi qu'a récemment formulé la présidente du Mouvement Desjardins, Monique Leroux: travailler d'arrache-pied à améliorer notre performance, de façon à surpasser un jour la productivité américaine. Si un aussi grand nombre de nos artistes, de nos écrivains, de nos scientifiques et de nos sportifs réussissent à dominer la scène mondiale, pourquoi pas nos entreprises? (La version originale de ce texte a été publiée en juillet 2010.)

Les Québécois plus riches que les Américains ?

Depuis au moins une décennie, nous sommes régulièrement bombardés de chiffres selon lesquels nous, Québécois, jouissons d'un niveau de vie considérablement plus faible que celui de nos voisins américains. D'environ 20 %, disent les uns. De 45 %, affirment les plus hardis. Notre pauvreté serait telle, qu'on lit dans les journaux que les habitants de chaque État américain, y compris les historiquement pauvres Mississippi et Louisiane, sont plus riches que les Québécois. Pour qui a voyagé dans ces États, ou dans le Michigan dévasté par la désindustrialisation, ou dans la plupart des villes moyennes, voilà une conclusion difficile à avaler.

Il ne nous viendrait pas à l'esprit de nier que la plus grande puissance économique mondiale génère, par personne, davantage de richesse que le Québec. Toutefois, ayant été attentifs aux recherches sur les difficultés de la classe moyenne américaine, étranglée par les coûts exorbitants de l'assurance médicale privée et de la scolarité ainsi que par un revenu stagnant, nous avons trouvé louche que l'Américain moyen ait vraiment dans ses poches de 20 % à 45 % plus de sous que le Québécois moyen.

Nous savons également que, chez nos voisins du Sud plus que partout ailleurs en Occident, on a assisté depuis 30 ans à une alarmante montée de l'inégalité de la richesse. L'écart entre les super-riches et l'Américain moyen est revenu à son niveau des « années folles » qui ont précédé la dépression des années 1930. Au Québec, nous avons su éviter ces excès.

Nous avons donc pensé poser une hypothèse simple : se pourrait-il que l'immense majorité des Québécois soient au moins aussi riches que l'immense majorité des Américains, si on exclut du calcul les super-riches ?

C'est précisément le résultat que nous avons obtenu. En mettant de côté les 5 % des contribuables américains les plus riches (qui absorbent chaque année 39 % du revenu national) ainsi que les 5 % des contribuables québécois les plus riches (qui en absorbent 25 %), on obtient, pour 95 % de la population, les revenus suivants, par adulte, selon le pouvoir d'achat québécois : *Québec : 18 998 $ / États-Unis : 18 932 $.*

C'est donc dire que le revenu moyen de 95 % des Québécois est égal (en fait, supérieur d'un mince 0,3 %) à celui de 95 % des Américains. Notez que ce sont les chiffres de 2007, donc d'avant la crise économique, qui a été beaucoup plus dure chez nos voisins du Sud que chez nous.

Ce revenu moyen par contribuable tient compte de la différence entre le coût de la vie aux États-Unis et au Québec (tel qu'estimé par Statistique Canada). Il ne soustrait pas les impôts payés, mais n'inclut pas les prestations reçues de l'État. Certes, les impôts sont moins élevés aux États-Unis, mais en revanche, les Américains paient davantage, au privé, pour leurs soins de santé, leurs garderies, leur scolarité. Et ils reçoivent beaucoup moins de services publics et de prestations de toutes sortes que les Québécois.

Et le temps de travail ?

Il y a d'importantes différences entre les Québécois et les Américains. L'une d'entre elles est leur temps de travail. Globalement, les Québécois travaillent davantage d'heures que la plupart des Européens, mais moins que les Américains. En gros, ceux-ci travaillent 270 heures de plus par an que leurs collègues québécois, soit plus de cinq heures additionnelles par semaine.

C'est essentiellement par choix. Lorsqu'ils le désiraient, avant le milieu des années 1970, les Québécois travaillaient beaucoup plus d'heures par an — plus même que les Ontariens. Aujourd'hui, ils privilégient le temps libre, choix parfaitement légitime. La proportion de Québécois qui travaillent à temps partiel mais souhaiteraient travailler à temps plein n'est pas plus élevée qu'ailleurs.

Bref, pour en revenir à notre premier résultat, il signifie qu'en moyenne 95 % des Américains doivent travailler 270 heures de plus par année pour atteindre le niveau des Québécois, qui, eux, ont cette richesse supplémentaire, mais non pécuniaire, d'avoir cinq heures par semaine de plus à consacrer à la famille, aux loisirs, aux amis, aux sports, à la lecture et à la culture.

Oui, mais qu'en est-il à 99 % ?

Nous avons prolongé notre calcul pour ne soustraire de l'équation que les super-riches, ceux qui forment le 1 % le plus riche de la population. Depuis la Deuxième Guerre jusqu'aux années 1980, ces super-riches accaparaient, en Occident, environ 10 % des revenus chaque année. Aujourd'hui, aux États-Unis, ils en empochent beaucoup plus : 24 %. Au Québec, à peine plus : 11 %.

Voici ce que touchent en moyenne 99 % des contribuables américains et québécois : *Québec : 21 620 $ / États-Unis : 22 516 $.*

Le revenu moyen de 99 % des Américains n'est donc que de 4 % plus élevé que celui de 99 % des Québécois. On est loin du niveau de vie supérieur de 20 % ou de 45 % dont on entend si fréquemment parler.

Reste la question des heures travaillées. Pour arriver à ce niveau de vie supérieur de 4 %, notre voisin américain doit travailler presque 15 % plus d'heures par année. C'est beaucoup pour avoir son « 4 % » !

Reprenons le calcul autrement. Quel serait le revenu par habitant des deux groupes si les Américains travaillaient le même nombre d'heures que les Québécois ? *États-Unis : 19 643 $ / Québec : 21 620 $.*

C'est net : à temps de travail égal, 99 % des Québécois ont un niveau de vie moyen de 10 % plus élevé que 99 % des Américains.

Lorsqu'on calcule correctement la richesse créée par l'économie québécoise et l'économie américaine, on doit admettre que l'américaine génère au total plus de richesse que la nôtre. C'est simplement qu'une petite minorité de nos voisins accapare presque toute cette richesse supplémentaire et que l'immense majorité n'en profite pas. Et si les super-riches du Mississippi, de Louisiane et du Michigan sont nettement plus riches que nos super-riches, il est absurde d'affirmer que « les Américains » de ces États sont plus riches que « les Québécois », comme si ces moyennes reflétaient la réalité des habitants ordinaires d'ici et de là-bas !

Si on veut savoir quelle société remplit le mieux sa mission — l'amélioration de la qualité de vie — pour l'immense majorité de sa population, force est de constater que le Québec est largement gagnant.

Ces constats ne doivent pas que nous réjouir. Ils doivent nous motiver.

La clé de la réussite de la société québécoise, à l'avenir, sera sa capacité de maintenir ses choix sociaux et son respect de l'environnement tout en relevant ses défis, notamment ceux du vieillissement et de l'endettement. Les Américains, mais plus encore les Français, les Néerlandais et d'autres Européens, montrent qu'il est possible de produire davantage de richesse par heure travaillée sans augmenter les cadences ou s'épuiser en heures supplémentaires, sans tricher avec l'environnement et sans gaver les super-riches.

Déjà, les Québécois sont plus productifs que les Ontariens, et depuis deux ans, ils ont dépassé le rythme de croissance de 1,5 % de leur productivité, nécessaire pour réussir. Avec un réel investissement dans les têtes — par l'éducation, la formation continue en entreprise, un grand chantier pour faire reculer le décrochage et l'analphabétisme — et dans l'innovation au sein des grandes et petites entreprises, il est possible de maintenir et même de hausser ce rythme porteur d'avenir.

Marier la solidarité québécoise avec la productivité des meilleurs Occidentaux ferait de nous, pour de vrai, un modèle québécois !

(par Pierre Fortin et Jean-François Lisée. La version originale de ce texte a été publiée en juin 2011.)

***

Le Québec vit-il aux crochets du Canada ?

Les contribuables du Québec ont payé 68 milliards de dollars en impôts et taxes à l'État québécois et aux municipalités en 2009. S'ils leur avaient versé le même pourcentage de leur richesse collective que les autres Canadiens, le total n'aurait été que de 45 milliards. Comment expliquer que les Québécois aient payé 23 milliards de plus (6 600 dollars par famille) ? Selon les Comptes économiques provinciaux, publiés par Statistique Canada, il y a cinq causes principales. La première est que nous payons pour nos vieux péchés. Depuis 50 ans, le Québec s'est endetté plus que les autres provinces. Cela le force à verser chaque année à ses bailleurs de fonds six milliards de dollars de plus en intérêts que si le poids de sa dette était resté au niveau de la moyenne canadienne. Ce sont six milliards de moins de nos impôts et taxes que nous pouvons consacrer aux services publics. C'est frustrant, mais on n'y peut rien.

La deuxième cause est que nos infrastructures sont aux soins intensifs. Après des décennies de négligence en matière d'entretien, nos ponts, routes, écoles, hôpitaux et aqueducs étaient en décrépitude. Il a fallu accélérer les réparations pour les maintenir en service, voire éviter des pertes de vies. Comme nous sommes en mode rattrapage, nos investissements en infrastructures ont dépassé la moyenne des autres provinces de plus de cinq milliards en 2009.

La troisième cause est que le Québec est devenu un « paradis fiscal des familles ». Il se démarque des autres provinces par son soutien financier plus important aux familles, son régime de congés parentaux plus généreux et son programme de garderies à sept dollars. Pour financer ces programmes, il a dépensé, en 2009, quatre milliards de dollars de plus que la moyenne des autres provinces.

La quatrième cause est que l'aide financière de l'État aux entreprises et aux organismes est proportionnellement plus abondante au Québec que dans les autres provinces. Le répertoire du ministère du Développement économique comprend 191 programmes distincts d'aide aux entreprises. En 2009, il y a eu pour trois milliards de dollars d'aide de plus que la moyenne canadienne.

La cinquième cause est que nos municipalités paient très bien leurs employés. La rémunération horaire globale (salaires et avantages sociaux) de ces derniers dépasse de 40 % celle des fonctionnaires provinciaux, selon l'Institut de la statistique du Québec. Cela ajoute 1,5 milliard de dollars par année à leur masse salariale.

Les transferts fédéraux aident le Québec à financer ces dépenses. En 2009, grâce aux paiements de péréquation, le Québec a obtenu en transferts fédéraux un milliard de dollars de plus que ne pouvait le justifier sa stricte part de la richesse canadienne. Néanmoins, il est clair que ce sont les 23 milliards de nos impôts et taxes en surplus, et non pas le milliard du fédéral, qui financent les dépenses supplémentaires du Québec. Ailleurs au Canada, on affirme souvent d'un air entendu que si les Québécois se paient plus de services publics que les autres Canadiens, c'est parce que l'État québécois vit aux crochets du fédéral. Vous savez maintenant que cette affirmation est de la bouillie pour les chats. Que l'État dépense plus au Québec est indéniable. Mais en 2009, les transferts fédéraux n'ont contribué à payer son excédent de dépenses qu'à hauteur d'un milliard. Ses impôts et ses taxes, à hauteur de 23 milliards.

Le Québec est devenu le paradis des familles par ses propres moyens, et non grâce aux paiements de péréquation. (La version originale de ce texte a été publiée en mai 2012.)

***

Le retour du Bonhomme Sept-Heures

Dans les manifestations des derniers mois au Québec, des banderoles ont invité à la « mobilisation contre les politiques néolibérales qui appauvrissent la classe moyenne ». Le néolibéralisme menace-t-il le Québec ?

Le néolibéralisme est une idéologie qui considère que le secteur privé est capable à lui seul de réguler l'activité humaine. L'État est vu comme une nuisance. On prône la liberté individuelle sans contraintes, le désengagement de l'État, la déréglementation du marché du travail et du capital, la privatisation des activités économiques, l'introduction de la concurrence dans le secteur public et l'affaiblissement des protections sociales. La doctrine néolibérale a été appliquée dans plusieurs pays, dont l'Angleterre et les États-Unis, depuis 1980.

Mais les politiques économiques et sociales du Québec n'ont rien à voir avec cette idéologie extrême. Chez nous, le poids de l'État dans l'économie est plus important que partout ailleurs en Amérique du Nord. Il s'est même accru depuis 30 ans. Les dépenses provinciales et municipales équivalent à 34 % de notre revenu intérieur, contre 24 % dans le reste du Canada. Aucun État américain ou autre province canadienne n'a un taux de couverture syndicale aussi important que le nôtre (39 %). Le pouvoir d'achat de notre salaire minimum est parmi les plus élevés d'Amérique du Nord. Le Québec est le seul État sur ce continent où, globalement, les inégalités de revenu n'ont pas augmenté depuis 35 ans. Loin de s'appauvrir, notre classe moyenne s'est enrichie. De 1995 à 2010, inflation déduite, le pouvoir d'achat médian de nos familles biparentales a progressé de 33 %; celui de nos familles monoparentales, de 49 %.

Nos politiques sociales ont connu une forte expansion depuis 15 ans, que ce soit sous les libéraux ou sous les péquistes. On a eu la réforme de l'aide sociale, l'assurance médicaments, l'équité salariale, les garderies à cinq puis à sept dollars, les congés parentaux étendus, la prime au travail, le soutien aux enfants, alouette. Ce qu'il y a de génial dans ces politiques, c'est qu'elles se sont attaquées aux causes de la pauvreté, pas seulement à ses effets. Elles ont favorisé l'accès des personnes pauvres à l'emploi et à l'autonomie financière. Le taux d'emploi des mères de familles monoparentales est passé de 61 % en 1996 à 78 % en 2008.

Oui, le Québec a privatisé la Raffinerie de sucre, à Saint-Hilaire, Sidbec, à Contrecœur. Mais produire du sucre et de l'acier n'était pas le moyen le plus pertinent d'encourager l'économie du savoir. Oui, nous devons composer avec la loi sur le déficit zéro, de Lucien Bouchard. Mais nommez-moi un État progressiste qui peut survivre s'il ne paie pas ses factures. Oui, on veut introduire plus de concurrence en éducation et en santé. Mais il n'y a pas un établissement scolaire ou hospitalier qui cherchera à exceller s'il n'est pas soumis à une émulation et à une évaluation périodique. Oui, le Québec prélève des tarifs — les plus bas d'Amérique du Nord — auprès des consommateurs d'électricité, des usagers des garderies et des étudiants universitaires, et il les dégèle de temps à autre pour suivre les coûts. Mais des tarifs, il en faut un peu, non ? Ça nous responsabilise.

Le néolibéralisme aux États-Unis doit être pris au sérieux. Mais rien ne justifie de faire peur au monde en affirmant que le Québec est néolibéral lui aussi. (La version originale de ce texte a été publiée en octobre 2012.)

***

CHAPITRE 9 // QUESTIONS D'ARGENT

Contre la consommation gloutonne

Le plus jeune de mes enfants est aux études à l'université. Depuis janvier dernier, trois institutions financières lui ont offert des prêts non sollicités de 3 000 à 5 500 dollars, sans vérification de son crédit. Il ne compte plus les offres de cartes de crédit, également non sollicitées, qu'il a reçues. Heureusement, il les a toutes refusées. Mais bien des jeunes de son âge les acceptent. Ils se laissent berner par les requins du crédit facile. Bon nombre se retrouvent ensuite en faillite à 25 ans après s'être engagés dans des dépenses de consommation excessives.

On devient accro au crédit comme à la cigarette : en laissant certaines institutions financières, tout comme les fabricants de cigarettes, exploiter notre naïveté et celle de nos enfants, et nous emporter dans un cercle vicieux de dépendance à long terme. Au Québec, on n'épargne plus, on s'endette. En 1985, une famille québécoise qui avait un revenu de 20 000 dollars après impôt avait une dette de consommation de 4 000 dollars en moyenne. Aujourd'hui, la même famille dispose d'un revenu de 40 000 dollars après impôt, mais a contracté une dette de consommation de 16 000 dollars. On gagne deux fois plus, mais on est quatre fois plus endetté. Mince consolation, nous ne sommes pas seuls : le virage vers la consommation et l'endettement s'observe partout en Amérique du Nord !

Cette évolution soulève deux inquiétudes, l'une pour notre vie personnelle, l'autre pour notre vie collective. Sur le plan personnel, nous travaillons moins longtemps qu'avant, mais nous vivons plus longtemps. Il y a une ou deux générations, on travaillait pendant 50 ans (de 15 à 65 ans) et on passait ensuite 10 années à la retraite. Cinq ans au travail pour chaque année de retraite. Aujourd'hui, on travaille pendant 40 ans (de 20 à 60 ans) et on est retraité pendant 20 ans. Deux ans au travail pour chaque année de retraite. Afin de conserver le même niveau de vie à la retraite, nous devrions donc épargner deux fois plus qu'avant pendant chacune de nos années de travail. Or, nous épargnons au contraire 10 fois moins ! (Voir le tableau ci-dessous.) Résultat : la retraite s'annonce maigre, particulièrement pour les Québécois les moins riches. Il y aura toujours la pension de vieillesse, la rente du Québec et le supplément de revenu garanti. Mais ce n'est pas le pactole.

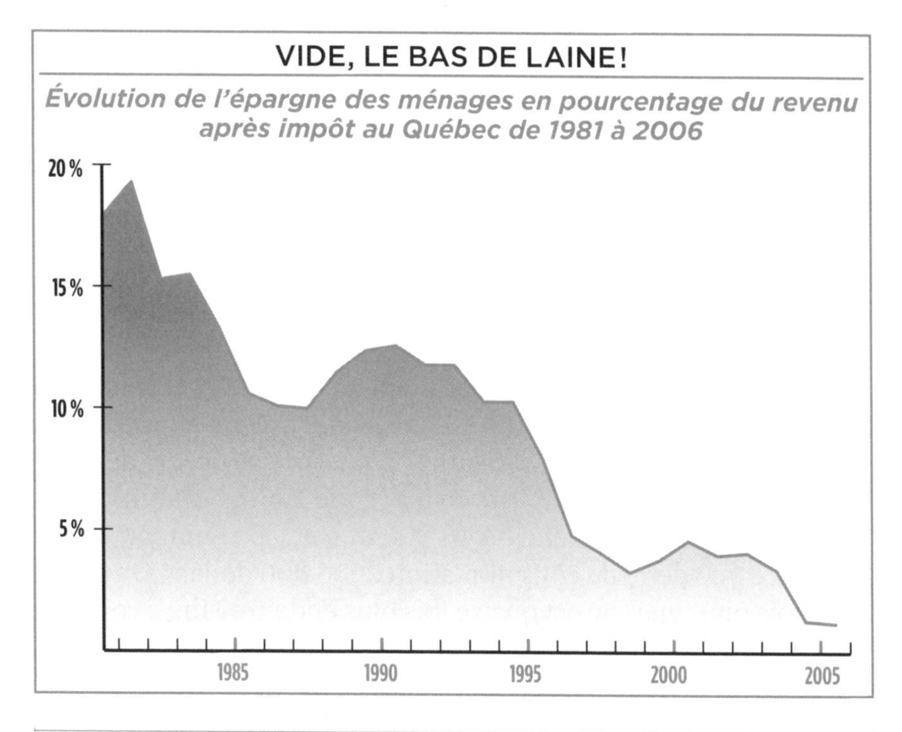

Sur le plan collectif, notre épargne nationale sert à financer l'investissement dans l'éducation, les nouvelles technologies, les nouvelles usines et les nouvelles infrastructures, qui élèvent ensuite notre productivité, nos salaires et notre niveau de vie. Sans épargne, deux choses peuvent se produire : ou bien l'investissement n'a pas lieu ; ou bien il a quand même lieu, mais il faut s'endetter envers l'étranger pour le financer. Dans les deux cas, c'est « patate » pour le progrès de notre niveau de vie collectif.

Puis-je formuler deux suggestions pour requinquer l'épargne au Québec ? La première serait que l'Autorité des marchés financiers interdise les offres non sollicitées de prêts ou de cartes de crédit, rende obligatoire la vérification du crédit et renforce les exigences minimales en matière de qualité du crédit avant qu'un prêt soit accordé. Ma seconde suggestion consisterait à obliger tous les salariés du Québec qui ne sont pas couverts par un régime de retraite d'entreprise à verser 5 % de leur paye dans un régime enregistré d'épargne-retraite (REER). Le versement pourrait être calculé sur la même base que celle qui sert à déterminer les cotisations au Régime des rentes du Québec. La somme déposée serait déductible du revenu imposable. Mais le salarié-épargnant en conserverait l'entière propriété.

Notre naïveté ou notre insouciance à l'égard de l'avenir, de même que les pressions dont nous faisons l'objet de la part de certaines institutions financières, sont maintenant telles qu'il faut en venir à des solutions musclées. Nous avons besoin d'un rempart solide contre le piège de la consommation gloutonne dans lequel nous attirent nos propres pulsions et les sirènes du crédit facile. (La version originale de ce texte a été publiée en octobre 2007.)

La classe moyenne étouffe ?

Comment vont les finances de la classe moyenne ? Très bien, merci. En 1998, au Québec, la famille biparentale *médiane* disposait d'un revenu de 44 200 dollars après transferts et impôts. La famille médiane, c'est la plus moyenne de toutes les familles de la classe moyenne : la moitié des familles sont plus riches qu'elle et l'autre moitié, moins riches. En 2006, le revenu disponible de cette famille médiane avait crû de 44 % et s'élevait à 63 700 dollars. Le coût de la vie avait, bien sûr, augmenté dans l'intervalle. Mais même en soustrayant l'effet de l'inflation, la hausse du revenu familial avait réussi à « battre » le coût de la vie de 22 %. On n'avait pas vu un tel essor du revenu familial depuis l'époque de l'Expo 67.

Et pour la famille monoparentale ? C'est encore mieux. De 1998 à 2006, le revenu disponible de la famille monoparentale médiane dirigée par une femme a progressé de 54 %, passant de 20 700 à 31 800 dollars. Inflation déduite, son pouvoir d'achat a augmenté de 30 %.

Est-ce que le revenu familial a poursuivi sur cette lancée en 2007 et 2008 ? Affirmatif. Depuis deux ans, on a subi les hausses de l'essence, des aliments, de l'électricité, des permis, etc. Mais l'augmentation des salaires a encore battu l'inflation. Et puis on a eu les prestations Harper pour enfants, deux baisses de la TPS, des réductions de l'impôt du Québec pour la classe moyenne et un taux d'emploi stable malgré la crise financière américaine.

D'où vient l'essor du revenu de notre classe moyenne depuis 10 ans ? De la reprise économique, des femmes et des gouvernements. De 1997 à 2008, la reprise a fait baisser le taux de chômage de 11,5 % à 7,5 % au Québec. Moins de chômage égale plus de revenu.

Le salaire horaire des hommes québécois a eu peine à suivre la hausse du coût de la vie. Mais celui des femmes, lui, l'a dépassé de 7 %. L'équité salariale a évidemment aidé. Les femmes se sont précipitées dans la population active, étant aujourd'hui 25 % plus nombreuses à travailler qu'il y a 10 ans. Elles sont de plus en plus scolarisées, les garderies (lorsqu'on peut y avoir accès) ne coûtent pas cher, les congés parentaux ont été améliorés, et des primes de travail s'ajoutent pour les familles à petits salaires.

Enfin, les gouvernements ont consenti d'importantes réductions d'impôts et augmentations de transferts. Ensemble, ces modifications fiscales ont ajouté plus de 6 000 dollars par année au revenu de la famille biparentale médiane. Ce n'est pas rien.

Pourtant, la perception subjective des gens diffère de la réalité objective. Malgré toutes les preuves que je viens d'étaler, les deux tiers des familles de la classe moyenne jugent qu'elles sont financièrement coincées. « La classe moyenne étouffe », titrait récemment *Le Journal de Montréal*. Comment expliquer cette perception ?

La meilleure réponse est probablement la suivante : quel que soit notre revenu et quelle que soit la vitesse à laquelle il augmente, nous en voulons toujours plus. Si nous avons 30 000 dollars, nous consommons comme si nous en gagnions 40 000. À 60 000 dollars, nous visons 70 000. À 90 000 dollars, nous essayons de vivre comme si nous en avions 100 000. Nous vivons à la limite de notre revenu en surconsommant. S'il y a des imprévus, nous avons peu de marge de manœuvre et nous nous endettons. Ce n'est pas moi qui le dis, c'est Charles Tanguay, porte-parole de l'Union des consommateurs.

L'expert en finances personnelles qu'est Gilles Vigneault l'a compris. « Tout l'monde i veut d'l'argent tout l'temps », dit sa chanson. Pas surprenant que « tout l'monde soit malheureux tout l'temps ».

(La version originale de ce texte a été publiée en novembre 2008.)

***

Le huard parti pour la gloire ?

Au cours des 35 dernières années, le dollar canadien a accompli une grande boucle. À l'été 1976, il cotait à 1,03 $ US. En 2001, soit 25 ans plus tard, il avait dégringolé à 0,63 $ US. Il ne lui a ensuite fallu que 10 ans pour refaire le chemin inverse : en cet été 2011, il flotte autour de 1,03 $ US, comme il y a 35 ans. C'est le temps de s'interroger sur son avenir. Notre monnaie restera-t-elle forte ou plongera-t-elle de nouveau vers 0,63 $ US ?

À court terme, les marchés mondiaux des monnaies sont dominés par les déplacements quotidiens de milliers de milliards de dollars de capitaux financiers – fonds de grandes banques, fonds de retraite, fonds de couverture, etc. –, à la recherche du rendement maximal. Ces mouvements sont parfois clairvoyants, mais ils peuvent aussi être déconnectés des réalités économiques fondamentales. Les hauts et les bas qu'ils engendrent dans les taux de change entre les monnaies sont souvent impossibles à prévoir et difficiles à interpréter, même après coup.

Le huard ne fait pas exception à la règle. Il est soumis à cette danse quotidienne, comme toutes les autres monnaies flottantes. Sur un horizon de 5 à 10 ans, cependant, les mouvements des capitaux financiers sont réversibles. Nos transactions commerciales avec l'étranger, c'est-à-dire nos exportations et nos importations, finissent par exercer une influence décisive sur la valeur de notre monnaie. Plus nous exportons, plus le huard est fort. Plus nous importons, plus il est faible. Pour avoir une idée de l'évolution à long terme du dollar canadien, il faut donc s'interroger sur les influences que subiront nos exportations et nos importations au cours des années à venir.

En 2001, avec un huard à 0,63 $ US, les produits manufacturés coûtaient en moyenne 25 % moins cher au Canada qu'aux États-Unis. Aujourd'hui, la situation est inversée. Ils coûtent 14 % moins cher aux États-Unis. En effet, pour acheter un panier représentatif de produits qui se vend 100 $ CA au Canada, l'Américain doit actuellement débourser 103 $ US s'il achète ce panier chez nous. Mais s'il l'achète chez lui, aux États-Unis, le même panier ne lui coûtera que 89 $ US, selon les estimations de Statistique Canada. C'est bien 14 % moins cher chez lui. Globalement, donc, le taux de change actuel de 1,03 $ US pour 1,00 $ CA nuit à l'exportation de nos produits manufacturés et favorise l'importation des produits américains. Cela constitue une source de faiblesse pour le dollar canadien.

L'autre élément à considérer est la vigueur de la demande mondiale de ressources naturelles dont le Canada est exportateur, soit les produits agricoles, énergétiques, forestiers et miniers. Depuis 10 ans, par exemple, les prix mondiaux du pétrole et de métaux comme l'or, le fer et le cuivre ont plus que triplé. Il y a beaucoup de sourires à Calgary, à Val-d'Or et à Fermont. Le soutien que ces prix élevés procurent aux exportations canadiennes et au dollar canadien est considérable. Notre pétrole est surtout acheminé aux États-Unis. Nos produits miniers sont exportés partout dans le monde, et de plus en plus en Asie, où l'avidité des pays émergents envers nos ressources est immense. Cette gourmandise est là pour de bon. Elle va soutenir le dollar canadien.

Au total, c'est un match nul. À l'heure actuelle, le Canada exporte à peu près autant de marchandises qu'il en importe. Toutefois, cet équilibre global cache le fait que nos ressources se vendent bien, mais nos produits manufacturés, beaucoup moins bien. En 2010, tandis que nos exportations de ressources naturelles ont dépassé nos importations de 86 milliards de dollars, c'est tout le contraire qui est arrivé pour les produits manufacturés, où nos exportations ont été inférieures de 91 milliards de dollars à nos importations.

La littérature scientifique appelle cette asymétrie la « maladie hollandaise » : un secteur des ressources en expansion entretient une monnaie forte, qui, par le fait même, détruit la compétitivité du secteur manufacturier. Le bonheur des uns fait le malheur des autres. Notre dollar continuera de connaître des hauts et des bas, mais la tendance à long terme semble plutôt favoriser un huard fort et conduire vers un avenir exigeant pour nos industriels. (La version originale de ce texte a été publiée en juillet 2011.)

Sommes-nous vulnérables à une hausse des taux d'intérêt ?

Divers analystes ont récemment exprimé des craintes au sujet du présumé surendettement des foyers québécois. En 1990, ceux-ci supportaient une dette de 700 dollars (emprunt hypothécaire et crédit à la consommation) par tranche de 1 000 dollars de revenu. Vingt ans plus tard, en 2010, leur endettement atteignait 1 200 dollars par tranche de 1 000 dollars de revenu. La dette a augmenté de 70 % plus que le revenu. Sommes-nous trop endettés ? Sommes-nous vulnérables à une hausse des taux d'intérêt, qui alourdirait les paiements mensuels à faire pour amortir nos dettes ?

Globalement, la situation financière des ménages ne s'est pas détériorée au cours des dernières décennies et n'est pas inquiétante pour l'avenir. Au Québec, un million de foyers n'ont aucune dette. Les deux autres millions et demi en ont, mais ils détiennent aussi des actifs, comme une maison, une voiture, des obligations, des fonds communs de placement et des actions boursières. Ma consœur Hélène Bégin, économiste chez Desjardins, a récemment démontré qu'en 2010 les ménages endettés du Québec détenaient en moyenne 380 dollars d'actifs pour couvrir chaque tranche de 100 dollars de dette. Elle a aussi constaté que les actifs sont plus abondants pour couvrir la dette aujourd'hui qu'il y a 10 ans, et ce, malgré la crise financière de 2008-2009, qui les a dévalués. La dette s'est bien accrue, mais les actifs encore plus.

Les ménages endettés ne sont évidemment pas tous dans la zone de confort. Mais en 2010, seulement 4 % d'entre eux se trouvaient dans une situation que les experts en faillites jugeaient risquée, à savoir que la valeur de leurs actifs couvrait moins de la moitié de leur dette. Ce pourcentage de ménages financièrement vulnérables était deux fois plus faible que 10 ans auparavant, lorsqu'il atteignait 8 %. N'oublions pas que les institutions financières veillent au grain : moins les prêts risqués sont nombreux, moins elles perdent d'argent.

Autre observation réconfortante : depuis deux décennies, les intérêts que les foyers québécois ont à payer sur leur dette pèsent de moins en moins lourd sur leur revenu. En 1990, ils consacraient 10,5 % de leur revenu au paiement des intérêts ; en 2010, 6,5 %. Le graphique ci-dessus en donne l'explication : les taux d'intérêt ont énormément baissé depuis 25 ans. Ce qui a permis aux ménages d'ajouter sensiblement à leur dette, sans que cela empêche le poids des intérêts qu'ils ont à payer de diminuer continuellement en pourcentage de leur revenu.

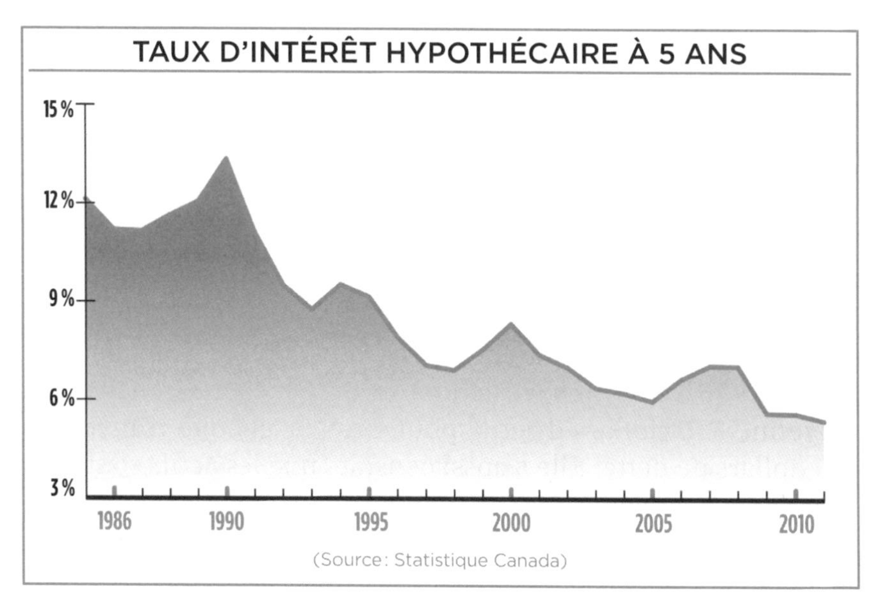

(Source : Statistique Canada)

Naturellement, il se peut qu'une remontée de deux ou trois points des taux d'intérêt se produise autour de leur tendance à long terme si une vraie reprise économique finit par s'amorcer en Occident d'ici deux ou trois ans. Le graphique est là pour rappeler qu'une telle remontée s'est produite en 1987-1990, en 1993-1995, en 1997-2000 et en 2004-2007.

Mais, premièrement, il est presque impossible qu'un changement de cet ordre de grandeur, qui aurait lieu progressivement de toute façon, déstabilise sérieusement les finances des ménages québécois. Et, deuxièmement, la tendance à long terme des taux d'intérêt, qui est à la baisse depuis 25 ans, n'est pas près de s'inverser. Grâce à l'épargne des pays émergents, les marchés mondiaux seront encore longtemps inondés d'argent à prêter et le coût du crédit sera maintenu à un niveau plutôt faible sur la planète.

Pour ces deux raisons, la probabilité ne paraît pas très grande que la situation financière des ménages québécois connaisse une sérieuse détérioration dans les années à venir. (La version originale de ce texte a été publiée en février 2012.)

Comprendre le prix de l'essence

L'un des phénomènes les plus énervants des dernières années est le parcours en montagnes russes du prix de l'essence. Les ouragans, les vacances estivales, les troubles au Proche-Orient et le reste ne nous ont pas laissé de répit. Il n'y a pas grand-chose que chacun d'entre nous puisse y faire. Mais ce qu'on comprend fait moins mal. Savoir quels facteurs font changer le prix de l'essence peut aussi nous aider à mieux planifier nos dépenses de transport.

Supposons que le prix mondial du baril de pétrole brut mis en marché par les grands pays producteurs est de 60 $ US. À combien s'élèvera alors le prix d'un litre d'essence ordinaire dans la grande région de Montréal ? Pour répondre à cette question, nous allons faire un petit calcul arithmétique en six étapes que même nos enfants du primaire peuvent suivre.

La première consiste à convertir le prix du baril de brut en dollars canadiens. Si chaque dollar américain coûte 1,10 $ CA, les 60 $ US que vaut le baril de brut exigeront 66 $ CA. Pour la deuxième étape, il faut passer du baril au litre. Un baril contient 159 litres. En divisant les 66 $ par 159, on voit que le litre vaut 41,5 ¢.

Le pétrole brut ne peut être utilisé directement dans nos moteurs à essence. Il doit au préalable être traité par une raffinerie. Étant donné que le marché de l'essence en Amérique du Nord est soumis au libre-échange, le prix à la rampe de chargement de l'essence raffinée à Montréal ne peut pas s'écarter beaucoup du prix qui a cours dans le nord-est des États-Unis. Ce dernier peut fluctuer, mais en moyenne, il incorpore une marge de raffinage de 10 ¢ pour l'essence ordinaire. Nous en sommes donc maintenant à 51,5 ¢ le litre. C'est la troisième étape.

Comme quatrième étape, il faut tenir compte du transport de l'essence raffinée jusqu'aux pompes et de sa distribution. Les grandes entreprises pétrolières (Ultramar, Shell, Esso, Irving et Petro-Canada) gèrent leurs postes de distribution en franchise, mais des détaillants indépendants, comme Sonic, Olco, Pétro-T, Sonerco ou Crevier, leur font la lutte. Transport inclus, la marge de distribution à Montréal oscille autour de 5 ¢, ce qui porte le prix du litre d'essence ordinaire à 56,5 ¢. Dans les régions éloignées des raffineries, il faut ajouter jusqu'à 3 ¢ encore pour le transport.

Cinquième étape, les taxes au litre. Il y en a trois: la taxe fédérale d'accise, de 10 ¢; la taxe du Québec sur les carburants, de 15,2 ¢; et la taxe de 1,5 ¢ servant à financer le transport en commun autour de Montréal. Ces trois taxes font augmenter le prix de l'essence ordinaire à 83,2 ¢ dans la région de Montréal. Ailleurs, il n'y a pas de taxe pour le transport en commun. De plus, à cause de leur situation géographique, les régions frontalières (Outaouais et Bas-Saint-Laurent) et les régions éloignées bénéficient d'une réduction compensatoire de quelques cents de la taxe provinciale sur les carburants.

La sixième étape complète le tout en ajoutant nos deux taxes universelles: la TPS fédérale, de 6 %, et la TVQ, de 7,5 %. Appliquées l'une sur l'autre, elles haussent le prix final à la pompe de 14 %. Dans la région de Montréal, on atteint donc 95 ¢ le litre. Dans les autres régions, le prix final est de 1 ¢ à 6 ¢ plus bas.

Devoir pour les étudiants de Pétrole 101, calculettes permises: si le prix mondial du baril de pétrole brut se maintient à 100 $ US, que le dollar américain vaut 1,05 $ CA, que les marges du raffineur et du distributeur s'établissent au total à 20 ¢ le litre, que les taxes au litre sont de 29 ¢, et que la TPS est de 5 % et la TVQ de 9,5 %, à quel prix faut-il s'attendre de payer l'essence ordinaire? (La version originale de ce texte a été publiée en novembre 2006.)

***

CHAPITRE 10 // L'ARGENT DES CONTRIBUABLES

Trois fiascos, une solution

En 2001, le gouvernement du Québec a annoncé un projet de modernisation de l'usine de Papiers Gaspésia, à Chandler. Financés aux trois quarts par les fonds publics, les travaux devaient coûter 465 millions de dollars. Le chantier a démarré en 2002, mais on a dû le fermer en 2004 : les coûts estimatifs avaient grimpé de 65 %, pour passer à 765 millions. L'affaire avait perdu toute possibilité d'être rentable. La nouvelle usine ne verra probablement jamais le jour.

En 2000, le budget du prolongement du métro de Montréal jusqu'à Laval a été établi à 345 millions. Un an et demi plus tard, la prévision des coûts s'établissait à 555 millions. En 2004, un comité d'experts a réévalué les coûts, qui passaient cette fois à 805 millions. Dépassement total : 130 %.

Une discussion de six ans a eu lieu, de 1999 à 2005, sur le choix d'emplacements pour deux nouveaux centres hospitaliers universitaires à Montréal (le CHUM et le CUSM). Elle a donné lieu à un chapelet de rapports. En 2005, les coûts des deux projets ont fini par être chiffrés à 2,2 milliards de dollars. Un an plus tard, on parle d'une hausse de 50 % par rapport à l'estimation initiale.

Ces trois dérapages démontrent que le Québec éprouve beaucoup de difficulté à gérer efficacement le démarrage et l'exécution de grands chantiers faisant appel aux fonds publics. Mais la triste histoire des dépassements de coûts associés à pareils chantiers n'est pas propre au Québec. Partout dans le monde, de tels travaux ont une forte propension à produire des dérapages. De nombreux chercheurs — des Scandinaves, des Américains, des Anglais et des Québécois — ont récemment examiné à la loupe des centaines de grands aménagements réalisés depuis 150 ans sur les cinq continents, du canal de Suez au TGV Tokyo-Niigata en passant par le complexe du « Big Dig », à Boston. Conclusion : dans 90 % des grands chantiers, les coûts ont été sous-estimés de 50 % à 100 %. Le plus décourageant, c'est que la situation ne tend aucunement à s'améliorer.

L'explication de cette dérive, disent les chercheurs, n'est pas technologique, mais humaine. Les grands chantiers sont des pièces de théâtre où tout le monde ment. Tous les acteurs ont un intérêt stratégique à sous-estimer les coûts. Par exemple, les politiciens promoteurs de ces chantiers recherchent un avantage électoral rapide. Ils oublient leur rôle de gardiens des fonds publics. Les entrepreneurs sont impatients d'obtenir des contrats. Ils sont portés à manipuler à la baisse les prévisions de coûts. Dans cette belle foire de conflits d'intérêts, l'analyse des risques est négligée et les coûts sont sous-estimés. Les promoteurs politiques, industriels et financiers ne sont nullement comptables de leur précipitation et de leurs prévisions faussées. Au final, c'est le contribuable qui ramasse la facture.

Parmi les échecs, il y a néanmoins quelques succès, par exemple le TGV français ou le métro de Cologne. Il suffit de les imiter.

On peut s'en sortir à trois conditions. Premièrement, lorsqu'un grand projet est envisagé, il faut se débarrasser des conflits d'intérêts et discipliner le processus de décision. On peut le faire en mettant en place une commission d'évaluation composée d'experts indépendants capables de produire une analyse objective des risques technologiques, communautaires, environnementaux et financiers du projet. Cette commission doit pouvoir agir en toute transparence, tenir des audiences publiques, recourir à des expertises externes indépendantes, puis rendre public son rapport. Les sommes astronomiques engagées justifient le temps que cela prendra.

Deuxièmement, si le gouvernement décide d'aller de l'avant, il doit s'assurer que l'entente de gestion du chantier récompensera le maître d'œuvre pour ses succès et le pénalisera pour ses mauvais coups.

Troisièmement, compte tenu de l'extrême puissance des syndicats de la construction au Québec, il faut en arriver avec eux à un accord qui évitera tout dérapage des relations de travail sur le chantier.

Ces conditions sont ni plus ni moins celles que la commission d'enquête sur l'échec de la Gaspésia (2005), présidée par le juge Robert Lesage, a recommandé d'appliquer à nos grands projets. Plutôt que de foutre le rapport Lesage à la poubelle, relisons-le et mettons ses sages conseils en pratique. Ce serait le meilleur antidote contre nos fiascos. (La version originale de ce texte a été publiée en septembre 2006.)

Indexons, pour l'amour du ciel!

Il y a une certaine fourberie à annoncer le gel des tarifs des services publics. Car nos politiciens savent bien que cette promesse est impossible à tenir! Par exemple, le gel des tarifs d'électricité. Voilà ce que décrétait, en 1998, Guy Chevrette, alors ministre des Ressources naturelles du Québec. Ce gel aura duré jusqu'à la fin de 2003. Cette année-là, Hydro-Québec demandait un rattrapage tarifaire de 6 % pour 2004. Devant la réprobation générale, la société d'État a dû se contenter d'un réajustement de 4,4 %. Il y a eu d'autres augmentations de 2004 à 2007, mais encore aujourd'hui, l'indexation des tarifs est en retard de 50 % sur l'inflation subie depuis 1998.

Après l'électricité, voici l'assurance automobile. Depuis 1985, les prestations versées par ce régime public ont explosé. Mais les contributions des Québécois au fonds n'ont presque pas augmenté. Inévitablement, en 2006, la Société de l'assurance automobile du Québec (SAAQ) a dû avertir que son fonds courait droit à la faillite. Le coût du permis de conduire un véhicule de promenade et celui de l'immatriculation d'une motocyclette doubleront donc d'ici 2010. Naturellement, les propriétaires de véhicules, et surtout les motocyclistes, sont furieux.

Ensuite, les garderies. En 1997, la ministre de la Famille du Québec, Pauline Marois, a lancé le nouveau système de garderies à contribution réduite, au tarif quotidien fixe de cinq dollars. Après six ans de gel et une explosion phénoménale des coûts du programme, ses successeurs, Claude Béchard et Carole Théberge, ont été conspués pour avoir porté le tarif à sept dollars. Ce nouveau tarif est lui-même gelé depuis trois ans.

Enfin, les droits de scolarité à l'université. Depuis 1994, ces droits sont gelés à 1 668 dollars pour une année de 30 unités. Dans les autres provinces canadiennes, ils sont actuellement de deux à trois fois plus élevés. Plus tôt cette année, le premier ministre du Québec, Jean Charest, a fini par annoncer qu'il autoriserait une hausse des droits de scolarité de 30 %, étalée sur une période de cinq ans, de 2007 à 2012. L'indexation sera partielle. Elle ne compensera qu'une fraction de l'inflation que les universités auront subie depuis 1994. Comme il fallait s'y attendre, une majorité de Québécois s'opposent à la mesure annoncée. Encore une belle chicane en perspective.

Ainsi va le Québec, de crise tarifaire en crise tarifaire. Il y a une certaine fourberie à annoncer que les tarifs des services publics seront gelés. Nos politiciens n'ignorent pas que cette promesse est impossible à tenir. Mais ils s'en fichent, sachant très bien que ce sera à leurs successeurs de se débrouiller avec la crise qui s'ensuivra inévitablement. Il faut mettre fin à ce manège. Comment? Tout simplement en décrétant une politique générale d'indexation annuelle automatique des tarifs.

Au Canada et au Québec, depuis 15 ans, les prix augmentent en moyenne de 2 % par année. Nous sommes tellement habitués à cette inflation que nous ne nous en rendons même plus compte. Qui a envie de déchirer sa chemise sur la place publique chaque année lorsque Kraft augmente le prix de son beurre d'arachides de 2 % ou que Lafleur fait de même avec ses saucisses à hotdog? Ce sont les hausses de tarifs importantes et inattendues qui nous font grimper aux rideaux. Alors, éliminons ces augmentations inopinées en indexant annuellement les tarifs sur le coût de la vie, pour l'amour du ciel!

Il y a déjà des organismes publics qui donnent l'exemple. Le Régime de rentes du Québec indexe ses prestations de retraite. Les prestations d'assurance-emploi du Canada sont également indexées. La Régie du logement décrète un taux d'indexation annuel des loyers. Le ministère du Travail indexe le salaire minimum en fonction du salaire moyen. Une bonne partie de l'impôt sur le revenu est indexée sur le coût de la vie. Alors, pourquoi pas les tarifs d'électricité, les contributions à l'assurance automobile, le tarif des garderies, les droits de scolarité et l'aide sociale ? Rien que 2 % par année et hop ! une autre crise est évitée.

Que diriez-vous de garder notre énergie collective pour des enjeux vraiment importants ? (La version originale de ce texte a été publiée en mai 2007.)

Faire payer nos enfants ?

Plus ça change, plus c'est pareil. Comme dans les années 1990, le gouvernement du Québec est présentement aux prises avec une importante crise financière. Le budget de mars dernier a montré que, s'il laissait aller les choses, le gouvernement pourrait se retrouver avec un déficit de 10 milliards de dollars en 2013, même si la reprise économique avait toute la vigueur qu'on souhaite.

Ce nouveau dérapage a plusieurs sources. Québec a beaucoup réduit les impôts depuis 2003. Le budget de la Santé et des Services sociaux est en mode explosif depuis 10 ans. Ottawa vient de décider (sans avertir) de plafonner ses transferts aux provinces. Enfin, les déficits accumulés pendant la récession et les emprunts pour la réparation des infrastructures feront augmenter les charges annuelles d'intérêts à payer de plusieurs milliards d'ici 2013.

Afin de corriger la situation, la ministre Jérôme-Forget a annoncé que les dépenses seraient comprimées, que les tarifs seraient indexés et que la TVQ serait augmentée à 8,5 %. Avec ces mesures, le déficit budgétaire ne serait plus de 10 milliards, mais de 4 milliards en 2013. Le nouveau ministre des Finances, Raymond Bachand, devra faire d'autres belles trouvailles pour effacer ces 4 derniers milliards de déficit.

Ça ne sera pas facile. Mais même si l'opération réussit, le calvaire ne sera pas terminé pour le gouvernement. Dès les années 2010, Québec devra affronter les conséquences financières du passage à la retraite de la populeuse génération des *baby-boomers.* Il y a

1,2 million d'aînés présentement au Québec ; dans 20 ans, en 2029, il y en aura 2,1 millions. Or, tandis qu'une personne de moins de 65 ans coûte en moyenne 1 600 dollars par année en soins de santé à l'État, une personne de plus de 65 ans en coûte six fois plus – 10 000 dollars.

Cela veut dire que la pression sur le budget du ministère de la Santé et des Services sociaux s'amplifiera considérablement. Le simple vieillissement de la population aura ajouté 6 milliards de dollars au budget de la Santé en 2019. En 2029, l'ajout sera de 19 milliards.

Quoi qu'il arrive, il faudra payer la facture. Il s'agit de savoir qui paiera et comment. Évidemment, si par bonheur l'enrichissement collectif s'accélérait, on aurait davantage de moyens pour financer la santé. Rêvons.

On peut chercher à réduire les coûts du système de santé public. On a essayé ça dans les années 1990, mais on a mis le système en péril en poussant des milliers de professionnels et de techniciens à la retraite et en laissant aller les infrastructures à l'abandon. À l'avenir, il faudra trouver des moyens plus intelligents d'économiser de l'argent. On pourrait aussi ouvrir la porte au secteur privé. Mais cela soulève toujours beaucoup de controverse.

Comprimer les dépenses dans les domaines autres que la santé et les services sociaux ? On le fait depuis 15 ans. Sabrer encore plus est possible, mais il y aura des limites, car de nombreux programmes sont déjà exsangues.

On peut enfin augmenter les tarifs, les impôts et les taxes sur certains services. En bon écureuil, le gouvernement met présentement de côté un milliard par année dans son Fonds des générations, afin de protéger les générations à venir contre un alourdissement insensé du fardeau fiscal. Mais ce milliard annuel est nettement insuffisant par rapport au coût énorme du vieillissement. Pour égaliser le fardeau entre les générations, c'est quatre ou cinq milliards qu'on devrait investir annuellement dans ce fonds. Il faudrait immédiatement considérer des sources additionnelles de financement, comme l'augmentation des tarifs d'électricité et de l'impôt sur le revenu.

Assurer à la fois des services publics de qualité à nos parents vieillissants et l'équité à nos enfants coûtera cher. Le choix est clair : ou bien nous adhérons à ce double objectif moral et nous acceptons de contribuer à en payer le prix, ou bien nous partons sans payer plus et laissons nos enfants payer seuls le gros de la facture. (La version originale de ce texte a été publiée en octobre 2009.)

POUR EN SAVOIR PLUS

On trouvera à l'adresse suivante les projections démographiques de l'Institut de la statistique du Québec jusqu'en 2056 et les explications pertinentes :
stat.gouv.qc.ca/publications/demograp/perspectives 2006_2056_pdf.htm

Fonctionnaires « bonriens » ?

En 1996, le poète Richard Desjardins a écrit une chanson d'une rare cruauté, qui raille les fonctionnaires de la « Régie des bonriens ». Il les décrit comme des pousse-crayons qui font traiter leur dépression imaginaire « à Honolulu » ; des statues qui « ont besoin d'érection » et qui « s'pognent le ouin... ouin » ; des habitués des « danseuses tout nues » qui demandent un reçu en sortant ; des sangsues qui ne rêvent qu'à leur « beau plan de pension ». La chanson conclut : « Quand je roule dans la rue pis que j'vois un bonrien / J'pas capab', j'passe dessus / Ça fait un d'plus en moins. »

Le contraste est extrême entre la description terrible de Desjardins et les louanges que la fonction publique reçoit à l'extérieur du Québec. Dans toutes les capitales, au Canada, on considère la fonction publique du Québec comme la meilleure. C'était unanime dans les conférences fédérales-provinciales auxquelles j'ai assisté. Les fonctionnaires des autres provinces s'arrachaient les conseils des nôtres. Ici même, au Québec, tous les groupes de travail gouvernementaux auxquels j'ai participé ont été émerveillés par la compétence et le dévouement exceptionnels des fonctionnaires.

Alors, où est la vérité ? Dans la chanson de Desjardins ? Ou faut-il plutôt croire ce sous-ministre des Finances de la Saskatchewan qui ne cessait de me vanter les compétences des fonctionnaires du Québec, il y a quelques années ?

Des « bonriens », on en trouve partout, dans le commerce de détail, parmi les professionnels, dans l'immobilier, dans les institutions financières. Rien ne justifie de viser les fonctionnaires plus que les autres. La plupart du temps, la stupidité qu'on observe n'est pas celle des fonctionnaires, mais bien des règles qu'on les oblige à appliquer et qui sont souvent mal adaptées aux circonstances. Lorsque les lois et les règlements sont déconnectés de la réalité, les responsables sont les élus qui les prescrivent.

Pourquoi mépriser les employés de l'État est-il dangereux aujourd'hui ? Parce que le gouvernement du Québec s'engage dans un difficile programme de compressions budgétaires de six milliards de dollars d'ici 2013. Et parce qu'il devra contenir l'énorme pression financière qui frappera le budget de la santé à partir de 2012, lorsque le passage des *baby-boomers* à l'âge d'or prendra de l'ampleur. Or, n'importe quel dirigeant d'entreprise privée ou d'organisme public peut vous confirmer que manquer de respect envers ses employés est le plus sûr moyen de perdre ses meilleurs éléments et de rendre les autres improductifs. Si un tel climat a cours dans la fonction publique, en santé et en éducation pendant les prochaines années, les conséquences seront désastreuses pour le Québec.

Le gouvernement est le premier responsable du climat de travail dans le secteur public. Il doit établir des cibles générales de compressions budgétaires et en évaluer l'observance. Mais entre la fixation des cibles et l'évaluation des résultats, il doit faire confiance à ses gestionnaires et employés de première ligne pour déterminer les meilleurs moyens de réorganiser les ressources humaines et matérielles qui permettront d'atteindre les cibles en préservant la qualité des services. Le respect a ici bien meilleur goût. Si on impose d'en haut le détail des compressions, indistinctement et dans l'ignorance de l'extrême diversité des réalités sur le terrain, cela équivaudra à prendre les employés de l'État pour des minables. Ce sera non seulement inefficace, mais suicidaire. La fonction publique sera démoralisée, les bons éléments partiront, les « bonriens » se multiplieront et la qualité des services se dégradera. Et cela, personne ne le souhaite. (La version originale de ce texte a été publiée en août 2010.)

***

Sortons le réseau routier de la politique

Le système de gestion du réseau routier québécois est incapable d'assurer la sécurité du public. Les routes sont crevassées, les structures se désagrègent, les ponts menacent de tomber, des viaducs se sont effondrés, des vies ont été fauchées. En 2006, à peine plus de la moitié de nos infrastructures étaient jugées en bon état.

La gestion du réseau dépend surtout du ministère des Transports du Québec (MTQ) et des voiries municipales. Cette gestion politique est teintée de favoritisme. Une recherche du professeur Marcelin Joanis, de l'Université de Sherbrooke, a fait la preuve que les dépenses du MTQ favorisent « de manière disproportionnée » les circonscriptions qui appuient le parti au pouvoir. Si vous voulez rouler plus en sécurité dans votre région, votez « du bon bord ».

D'anciens hauts fonctionnaires affirment que, pendant les dernières décennies, les autorités politiques ont régulièrement détourné à d'autres fins des crédits nécessaires à l'entretien des routes. Lorsque l'argent manquait pour boucler le budget du gouvernement — et il en manque toujours —, on allait le chercher dans les crédits du MTQ. Le problème, c'est qu'une longue suite de petits retards dans l'entretien, ça finit par faire un retard important. De nombreux points vitaux du réseau ont ainsi été fragilisés. Paniqué après la tragédie du viaduc de la Concorde, Québec a adopté à toute vitesse un plan de rattrapage qui a fait passer les investissements du MTQ de 1,2 milliard de dollars en 2005 à 3,5 milliards en 2011. L'histoire montre que les autorités politiques ne peuvent résister à l'envie de remplacer l'entretien régulier du réseau par un invraisemblable jeu de *stop-and-go* de la dépense.

En matière de financement, le professeur Marc Gaudry, de l'Université de Montréal, a noté des distorsions majeures. Ottawa recueille quatre fois plus de taxes sur les carburants qu'il ne dépense pour les ponts et les routes, alors que les villes dépensent huit fois plus pour leur réseau routier qu'elles n'en tirent de recettes. De plus, les prélèvements chez les automobilistes couvriraient 80 % des coûts environnementaux et financiers qu'ils imposent à la société, alors que ce taux ne dépasserait pas 40 % chez les camionneurs.

En somme, ce qui caractérise notre gestion du réseau, c'est le favoritisme, les dépenses par à-coups ainsi que de fortes disparités entre paliers de gouvernement et types d'usagers.

Cette problématique est universelle. Elle a été étudiée il y a 20 ans par la Commission royale sur le transport des voyageurs au Canada. Son président, Louis Hyndman, a recommandé que la gestion des routes soit retirée aux ministères provinciaux et confiée à des sociétés d'État. Elles percevraient les recettes routières et auraient la charge des infrastructures (planification, construction, entretien) et de la gestion du réseau. Les hausses de taxes et tarifs qu'elles proposeraient seraient soumises à une régie des routes semblable à notre Régie de l'énergie. Les élus fixeraient le cadre général et examineraient annuellement les plans et activités de ces sociétés.

La Colombie-Britannique est la seule province qui a donné suite à cette recommandation, avec ses sociétés TransLink, pour Vancouver, et BC Transportation Financing Authority, pour le reste de la province. La Nouvelle-Zélande applique aussi cette formule.

La nature et la gravité du problème à résoudre sont claires. Il faut mettre fin à notre gestion politique du réseau routier et la remplacer par un système plus sécuritaire et économiquement plus rationnel. (La version originale de ce texte a été publiée en octobre 2011.)

***

CHAPITRE 11 // L'HEURE DE LA RETRAITE

Vieillissement : comment dépenser plus avec moins d'argent ?

De 1947 à 1962, les jeunes couples québécois ont eu de très nombreux enfants — les *baby-boomers*. Entrés dans la vie adulte de 1965 à 1980, ces derniers ont cependant fait trois fois moins d'enfants que leurs parents. Au départ, ils s'en sont trouvés enrichis. En effet, le revenu par habitant du Québec a vivement progressé à cette époque, en partie parce qu'il y avait beaucoup plus d'adultes pour travailler et beaucoup moins d'enfants à nourrir.

Mais dans les années à venir, le boomerang économique frappera en sens inverse. Les *baby-boomers* fêteront leur 65e anniversaire entre 2012 et 2027. Le Québec vieillira alors très rapidement. Le poids démographique des personnes de 65 ans et plus dans l'ensemble de la population aura doublé en 30 ans, passant de 12 % en 1997 à 24 % en 2027. C'est plus vite que dans n'importe quelle autre société avancée, sauf le Japon. Le vieillissement sera une source d'appauvrissement collectif : les *baby-boomers* âgés seront très nombreux et ils auront laissé peu de descendants derrière eux pour travailler, pourvoir à leur bien-être et à celui du reste de la société.

Quelle sera l'ampleur de cet appauvrissement ? Le professeur Marc Van Audenrode, de l'Université Laval, en a récemment fourni une première approximation. Utilisant les projections démographiques de Statistique Canada, il a calculé que le Québec vieillissant verra son taux d'activité et, par conséquent, son revenu par habitant baisser d'environ 13 % d'ici 2025 (accueillir plus d'immigrants ne changerait pas grand-chose à ce chiffre). Cela veut dire que, si la structure par âge de la population prévue pour 2025 s'était appliquée dès 2001, le revenu intérieur du Québec n'aurait pas été de 230 milliards de dollars (comme l'a rapporté Statistique Canada), mais de 200 milliards seulement.

En même temps, les soins de santé requis par la marée montante des *baby-boomers* âgés coûteront cher. Marc Van Audenrode a estimé que la démographie en régression du Québec fera augmenter le coût annuel des dépenses publiques dans le domaine de la santé d'environ 40 %. Il y a deux ans, un groupe de travail interministériel du gouvernement du Québec avait lui aussi chiffré cette augmentation à 40 % pour la période allant de 2001 à 2025. Cette hausse des dépenses en santé sera compensée en partie par des économies réalisées surtout dans les services de garde et l'éducation, puisque le nombre d'enfants et d'adolescents sera en baisse. Le groupe interministériel a calculé que, si la structure par âge de la population prévue pour 2025 s'était appliquée dès 2001, le gouvernement du Québec aurait dépensé environ six milliards de plus en matière de santé et deux milliards de moins pour les services de garde et l'éducation. La hausse nette des dépenses publiques et du fardeau fiscal se serait donc élevée à quatre milliards.

Avec la diminution du revenu par habitant, cette charge fiscale additionnelle est loin d'être négligeable. En 2001, les Québécois ont versé 40 % de leur revenu intérieur en impôts et taxes. Ils ont déboursé 92 milliards de dollars à tous les ordres de gouvernement à partir de leur revenu global (230 milliards). Or, si la structure démographique prévue pour 2025 s'était appliquée, leur fardeau fiscal aurait été de 48 %, puisqu'ils auraient versé 96 milliards en impôts et en taxes (4 milliards de plus), sur un revenu global réduit à 200 milliards. Un fardeau fiscal qui passe de 40 % à 48 % du revenu global équivaut à une augmentation d'impôts de 20 %. Il s'agit d'une ponction fiscale énorme. Si, par exemple, une telle hausse frappait aujourd'hui l'impôt sur le revenu des particuliers, il faudrait exiger immédiatement 4 500 dollars de plus en moyenne par contribuable. Attachez vos tuques !

Ces observations mènent à plusieurs conclusions. D'abord, il faut revoir les dispositions des régimes de retraite qui poussent les travailleurs à se retirer trop jeunes de la vie active et à opter pour la « Liberté 55 ». Au cours des prochaines années, le Québec aura besoin de tous ses bras et de toutes ses têtes valides, y compris parmi ses aînés. Deuxièmement, il faut faire l'économie des dépenses publiques plus ou moins utiles et concentrer l'action gouvernementale sur les missions fondamentales : la santé, l'éducation et le soutien aux moins nantis. Troisièmement, en matière de santé, il faut aborder les choses de façon pragmatique et non pas idéologique, et être prêt à apprendre des expériences réussies dans d'autres pays. Enfin, il faut qu'une bonne part de la marge de manœuvre financière de nos gouvernements soit consacrée au remboursement de la dette publique. Si la dette est moins élevée, il y aura moins d'intérêts à payer sur celle-ci et il restera plus d'argent pour soigner les *baby-boomers* sans avoir à massacrer leurs enfants avec des hausses d'impôts impossibles à soutenir. Simple question d'équité. (La version originale de ce texte a été publiée en mars 2003.)

Il faut sauver nos rentes !

Au Canada, il y a deux régimes de rentes publics à peu près équivalents : le Régime de rentes du Québec (RRQ), pour les Québécois, et le Régime de pensions du Canada (RPC), pour les autres Canadiens. Les deux perçoivent des cotisations auprès des travailleurs et des employeurs. Celles-ci servent ensuite à verser des prestations aux invalides, aux retraités ainsi qu'aux conjoints survivants et aux orphelins.

Actuellement, le montant des cotisations que les deux régimes perçoivent dépasse celui des prestations. L'excédent est déposé dans une réserve, qui est investie dans des titres financiers. On en tire habituellement des revenus de placement, qui s'ajoutent aux cotisations. Mais comme on l'a vu en 2008, on essuie parfois des pertes sur les placements.

La solidité d'un régime de retraite varie selon le nombre d'années de prestations que sa réserve peut financer. Le graphique page 138 illustre l'évolution de la réserve de chacun des deux régimes de 2000 à 2060. Il présente les projections de leurs actuaires en chef respectifs.

Du côté québécois, les perspectives ne sont pas bonnes. Sous la législation actuelle, le Régime de rentes du Québec se dirige vers la faillite. À partir de 2025, la somme des cotisations et des revenus de placement sera insuffisante pour assurer le financement des prestations. Le Régime sera obligé de puiser dans sa réserve, qui sera complètement vide en 2039.

À l'inverse, la viabilité financière du régime canadien est quasiment assurée jusqu'à la fin du XXIe siècle. Les cotisations et les revenus de placement suffiront à couvrir les prestations. La réserve augmentera même un peu plus vite que les prestations. Dans la seconde moitié du siècle, elle équivaudra à cinq fois le montant annuel des prestations à verser.

Pourquoi le Régime de rentes du Québec est-il menacé de faillite, alors qu'avec les mêmes paramètres le Régime de pensions du Canada traversera le XXIe siècle sans encombre ? Les récents déboires financiers de la Caisse de dépôt, qui gère la réserve du régime québécois, en seraient-ils la cause ? Partiellement. Sans les pertes sur placement hors du commun subies en 2001, 2002 et 2008, il y aurait actuellement six milliards de dollars de plus dans la caisse. Cela retarderait l'épuisement de la réserve, mais n'empêcherait pas la faillite. Celle-ci se produirait alors en 2045 plutôt qu'en 2039.

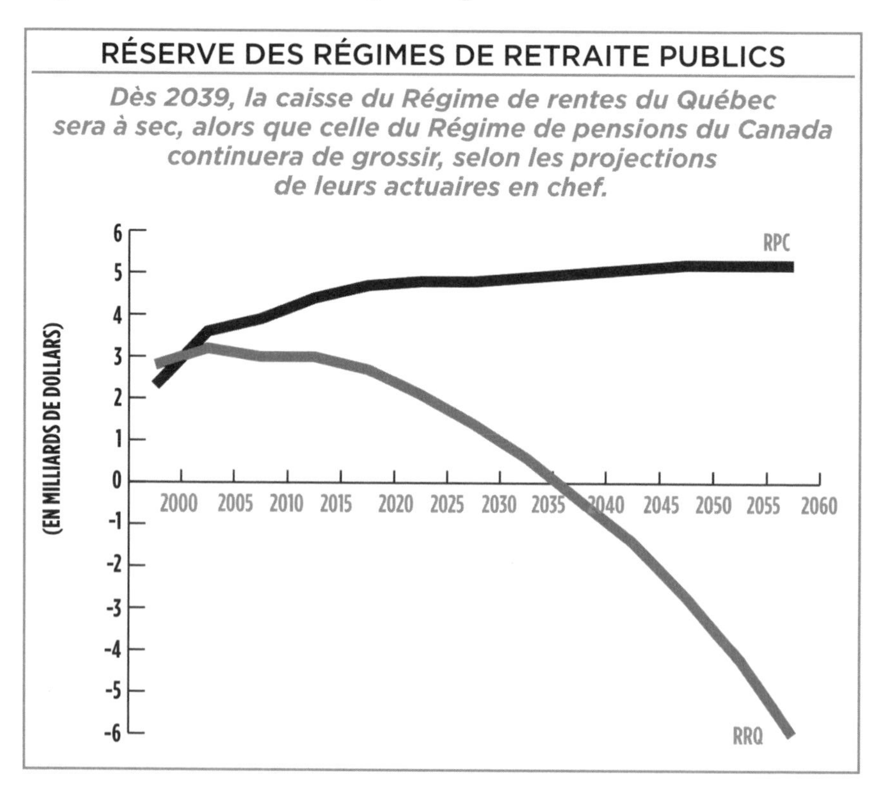

Le problème fondamental, c'est le vieillissement marqué de la population au Québec. En proportion du nombre de retraités, nos travailleurs cotisants seront en moyenne 15 % moins nombreux que ceux des autres provinces au cours des prochaines décennies. Les jeunes du Québec n'auront tout simplement pas le poids du nombre pour assurer la survie financière de notre Régime de rentes.

Il y a seulement deux moyens de le rendre solvable : augmenter le taux de cotisation ou réduire le volume des prestations. Si on adopte le premier, il faudra que, dès janvier 2012, le travailleur québécois et son employeur paient à eux deux 25 dollars en moyenne de plus par mois en cotisations. Du côté des prestations, on pourrait, comme plusieurs pays l'ont fait, augmenter de deux ans l'âge d'admission à la rente de retraite.

Si on choisissait d'augmenter les cotisations, mais qu'on attendait à 2022 pour le faire, c'est une hausse mensuelle de 50 dollars, et non de 25, qu'il faudrait alors appliquer pour éviter la faillite. En outre, si on reportait l'augmentation à 2022, les futurs bénéficiaires de prestations actuellement âgés de 55 à 65 ans ne participeraient pas à l'effort collectif pour renflouer la caisse. La totalité de la facture serait refilée aux générations plus jeunes.

Rétablir la solvabilité du Régime de rentes du Québec doit précéder tout débat sur son amélioration ou sur l'addition de nouveaux régimes, comme ceux que proposent le gouvernement fédéral ou l'ancien ministre Claude Castonguay. Avant d'ajouter un étage à la maison, il faut s'assurer que les fondations tiennent. (La version originale de ce texte a été publiée en mars 2011.)

La classe moyenne doit accroître son épargne

Au milieu du XXe siècle, on entrait dans la vie active à 15 ans, on quittait le travail à 65 ans et on mourait à 70 ans. Aujourd'hui, on commence à travailler à 20 ans, on part à la retraite à 60 ans et on survit jusqu'à 85 ans. Les générations actuelles de travailleurs ont 10 ans de moins pour épargner en prévision d'une retraite qui durera 20 ans de plus. Pour comble, le taux de rendement de l'épargne a beaucoup diminué depuis 20 ans. Afin que leur plan de retraite à 60 ans soit viable financièrement, les travailleurs d'aujourd'hui doivent épargner beaucoup plus et sur une moins longue période que leurs prédécesseurs.

Or, depuis 50 ans, le taux d'épargne des Québécois a diminué. Il est passé de 5 % à 3 % de leur revenu. L'insuffisance de l'épargne ne frappe pas toutes les classes avec la même force. Ceux qui gagnent 75 000 dollars ou plus en fin de carrière s'en tirent bien, parce qu'ils ont accumulé assez d'épargne privée. À l'autre extrême, les salariés qui gagnent moins de 25 000 dollars réussissent eux aussi à s'en sortir. Les prestations des régimes publics (Régime de rentes du Québec, Sécurité de la vieillesse et Supplément de revenu garanti du Canada) leur permettent de maintenir leur niveau de vie d'avant la retraite et souvent de l'améliorer.

Entre les deux, c'est la classe moyenne qui est à risque. Elle épargne peu de façon volontaire. Lorsqu'ils quittent le travail à 60 ans, comme c'est actuellement la norme au Québec, presque les deux tiers des travailleurs de la classe moyenne n'ont pas accumulé assez d'économies pour empêcher leur niveau de vie de diminuer. La classe moyenne dépose peu d'argent dans les REER, CELI et autres comptes d'épargne privée. Cette insuffisance de l'épargne a suscité d'importants travaux au Canada. Au Québec, les plus remarqués sont ceux de l'actuaire et ex-ministre Claude Castonguay et ceux de la Commission nationale sur la participation au marché du travail, présidée par l'ex-sous-ministre du Développement économique Gilles Demers.

Castonguay et Demers ont examiné deux moyens d'accroître l'épargne de la classe moyenne. Le premier consisterait à donner plus d'ampleur au Régime de rentes du Québec. Le plafond des gains admissibles (présentement de 48 300 dollars) serait haussé et le pourcentage du salaire qui est remplacé à la retraite (présentement de 25 %) serait augmenté. Il faudrait alors faire passer le taux de cotisation à 16 % du salaire (actuellement de 9,9 %, il atteindra 10,8 % d'ici 2017). Castonguay et Demers jugent cette option mal ciblée, trop rigide et inéquitable pour les plus jeunes générations. À leurs yeux, le fardeau transféré sur les travailleurs actifs, particulièrement sur les moins riches, serait excessif.

Le second moyen envisagé consisterait à amener les salariés de la classe moyenne qui ne participent pas à un régime d'employeur à verser une cotisation minimale (par exemple 5 % du salaire) à un REER individuel géré collectivement par un organisme indépendant. Demers souhaite qu'employeurs comme employés fassent une cotisation obligatoire. Castonguay opterait pour une cotisation des employés uniquement ; ils seraient automatiquement affiliés au système, mais pourraient s'en dégager à certaines conditions.

Les détails sont à débattre, mais le diagnostic ne l'est plus. Si la classe moyenne continue à épargner trop peu, en vieillissant elle va s'appauvrir, dépendre de l'État, ou devoir travailler jusqu'à épuisement. Il faut corriger la situation sans délai. (La version originale de ce texte a été publiée en décembre 2011.)

***

CHAPITRE 12 // AU-DELÀ DE MONTRÉAL

L'agriculture, ce n'est pas de la culture

De concert avec les 150 autres nations membres de l'Organisation mondiale du commerce (OMC), le Canada a pris l'engagement de réciprocité suivant : « Vous nous donnez la liberté d'exporter nos produits sans entraves chez vous ; en échange, nous vous accordons la même liberté de venir vendre chez nous. » Or, lors de son congrès général de décembre dernier, l'Union des producteurs agricoles (UPA) a défendu un principe qui affirmerait le « droit des peuples à protéger et à réglementer leurs productions et leurs échanges agricoles nationaux ». Ce nouveau principe, appelé « souveraineté alimentaire », contredirait évidemment l'engagement de réciprocité canadien et dérogerait aux règles de l'OMC. L'UPA établit un parallèle entre cette exception généralisée qu'elle sollicite pour l'agriculture et l'exception reconnue par l'Unesco pour le champ de la culture.

L'exception culturelle se justifie aisément. Un film, par exemple, est une production à coût fixe. Il coûte le même prix à produire quel que soit le nombre de spectateurs qu'il attire. Il est donc plus facile à financer si le pays qui le produit est populeux. Avec plus d'habitants, on peut vendre plus de billets. C'est pourquoi le cinéma américain est prospère et le cinéma canadien ou québécois ne peut survivre sans subventions. Il faut faire une exception aux règles de l'OMC pour les productions culturelles. Sinon, aussi bien dire adieu à nos produits identitaires.

Mais l'agriculture n'est pas la culture. Le coût des produits agricoles n'est pas fixe comme celui des produits culturels. Et importer certains aliments de l'étranger ne constitue pas une attaque contre notre identité. Cela ne nous empêche pas de défendre et de promouvoir nos produits du terroir avec la plus grande vigueur. Rien ne justifie le parallèle que veut établir l'UPA entre l'exception agricole et l'exception culturelle.

Accéder à la demande de l'UPA serait une grave erreur pour trois autres raisons. Tout d'abord, l'agriculture québécoise ne peut pas fonctionner « en silo ». En voyant leurs produits d'exportation refoulés à la frontière canadienne par nos mesures protectionnistes agricoles, nos partenaires commerciaux exerceraient inévitablement des représailles contre nos propres exportateurs de produits bioalimentaires (ou autres). Comme le Canada est le quatrième exportateur mondial de ce type de produits (27 milliards de dollars en 2006), cela risquerait de faire mal.

Ensuite, la souveraineté alimentaire coûterait cher à nos concitoyens. Accroître la protection et la réglementation des produits agricoles au Québec exigerait des subventions et des prix planchers plus élevés. Or, contribuables et consommateurs versent déjà 2,6 milliards de dollars par année (2006) en soutien financier total à l'agriculture du Québec. Cela équivaut à une subvention de 73 cents par dollar de richesse créé annuellement dans cette industrie, soit 43 % de plus qu'ailleurs au Canada. Nous sommes tous prêts à soutenir l'agriculture québécoise. Mais nous avons le droit de savoir où cela va s'arrêter.

Enfin, la proposition de l'UPA introduirait plusieurs iniquités. Premièrement, il ne serait pas juste que toutes les industries du Québec triment dur pour faire face à la concurrence étrangère pendant que l'industrie agricole en serait exemptée. D'autant plus que les producteurs agricoles membres de l'UPA sont loin d'être tous pauvres et démunis : en 2006, la ferme moyenne au Québec valait un million de dollars après soustraction de sa dette. Deuxièmement, la souveraineté réclamée par l'UPA serait une stratégie particulièrement régressive. Comme les prix des aliments augmenteraient au Québec, les consommateurs moins fortunés seraient frappés plus durement que les autres, parce qu'ils consacrent une part plus importante de leur budget à l'alimentation. Troisièmement, en bloquant les produits agricoles concurrentiels des pays pauvres (de l'Inde jusqu'au Mali), nous nous trouverions à refuser à ces pays un levier économique important, dont ils ont besoin pour se sortir de la pauvreté. Belle solidarité internationale.

La souveraineté alimentaire n'a aucune justification logique. Elle mettrait en danger nos exportations vers l'étranger, elle coûterait cher aux contribuables et aux consommateurs, et elle serait injuste envers les autres industries, pour les Québécois moins fortunés et pour les pays pauvres. Elle desservirait le bien commun.

Une mauvaise idée sur toute la ligne. (La version originale de ce texte a été publiée en février 2008.)

La revanche de Québec

Il y a quelques années, à la radio comme à la télévision, le défunt groupe d'humoristes montréalais Les Bleu Poudre passait son temps à se moquer des gens de Québec et de leur Bonhomme Carnaval. Mais Québec a pris sa revanche. La région de la Capitale-Nationale est devenue avec le temps une leader de la scène économique canadienne, laissant Montréal loin derrière. C'est Québec 1, Les Bleu Poudre 0.

Au printemps dernier, en pleine récession, la grande région de Québec (formée de la ville même de Québec, de Lévis et de la banlieue proche) a enregistré un taux de chômage incroyablement bas : 4,6 %. À l'exception de Regina, toutes les agglomérations urbaines du Canada comptaient plus de chômeurs que Québec. À Montréal, par exemple, le taux de chômage était deux fois plus élevé. Selon toute vraisemblance, parmi les 10 plus grandes villes du Canada, seule Québec verra son activité économique globale progresser en 2009. La région traverse la récession tambour battant, sans s'arrêter, comme le célèbre lapin de la publicité.

On pourrait croire qu'il s'agit d'une illusion. Ce ne serait pas Québec qui s'illustrerait, mais les autres villes canadiennes qui accuseraient durement le coup de la récession, surtout en Ontario, en Alberta et en Colombie-Britannique. Observation juste. Mais ce serait une erreur de penser que l'effervescence économique de la région de Québec est un feu de paille. Tout indique qu'il s'agit d'une tendance lourde.

Avant même la récession, de 2002 à 2008, le taux de chômage de la grande région de Québec avait déjà baissé sous la moyenne canadienne, après lui avoir été supérieur pendant des décennies. Le secteur public de la capitale n'y a été pour rien. Au contraire, la part de ce secteur dans l'emploi total de la région a beaucoup diminué depuis une douzaine d'années. Si cette part était restée inchangée, l'agglomération québécoise aurait enregistré 17 000 emplois de plus dans le secteur public en 2008. Ces 17 000 emplois ont bel et bien été maintenus, mais par le secteur privé plutôt que par le secteur public. Le virage est majeur : c'est le secteur privé – et non le secteur public – qui porte l'économie régionale depuis 10 ans.

Comment se fait-il que la région de Québec pète le feu depuis une décennie ? Premièrement, bien qu'il continue le plus souvent à offrir de meilleures conditions de travail que le secteur privé, le secteur public est devenu plus routinier (fonction publique) ou plus stressant (santé). Il emballe moins qu'autrefois. Les jeunes de Québec sont plus attirés que leurs aînés par le privé et manifestent une solide culture entrepreneuriale.

Deuxièmement, ces jeunes sont les plus scolarisés du pays. Parmi les 25-34 ans, seulement 6,5 % n'ont aucun diplôme. Une façon de dire la chose est que, mesuré à la fin de la vingtaine, le taux de décrochage scolaire est deux fois moins élevé à Québec qu'ailleurs dans la province. Plus encore, la moitié des jeunes de Québec passent au moins 16 années à l'école. Le même pourcentage qu'à Ottawa et à Toronto.

Troisièmement, les entreprises de tous les horizons ont parfaitement compris que l'agglomération de Québec offre non seulement la main-d'œuvre la plus qualifiée du Canada, mais également (avec Sherbrooke) les coûts d'installation et d'exploitation les plus concurrentiels au pays. Elles se sont ruées sur les parcs industriels de Québec, de Lévis et des environs. Ceux-ci sont maintenant pleins à craquer.

Quatrièmement, depuis 20 ans, on a assisté à Québec à un mariage fructueux entre l'aménagement urbain et l'économie du savoir.

Cela a donné, entre autres, le Parc technologique de l'arrondissement de Sainte-Foy, le nouveau quartier Saint-Roch, l'Innoparc de Lévis et le Technopôle Défense et sécurité de Val-cartier. Les secteurs de l'assurance, de l'électronique, des services informatiques, des jeux vidéo, des télécommunications, de la santé et de la défense en sont les plus évidents bénéficiaires.

L'économie du XXIe siècle sera fondée sur les cerveaux. La région de Québec l'a bien compris ; elle a agi en conséquence, et les résultats prouvent qu'elle a eu raison. (La version originale de ce texte a été publiée en septembre 2009.)

POUR EN SAVOIR PLUS
On peut consulter l'analyse du Service des études économiques du Mouvement Desjardins sur l'économie régionale de Québec à : desjardins.com/fr/a_propos/etudes_economiques/conjoncture_quebec/etudes_regionales

Les révolutionnaires de Saint-Césaire

Au Québec, la tradition a toujours voulu que deux conditions soient remplies pour que les choses changent. Premièrement, la décision doit venir d'en haut, l'Église catholique ayant longtemps incarné l'autorité, avant de céder la place à l'État. Deuxièmement, tout doit changer en même temps, de la même manière et partout, de Dégelis à Ville-Marie, de Pontiac à Kuujjuaq. Pas d'exception.

La lutte engagée contre le décrochage scolaire dans les régions du Québec depuis 15 ans est en train de briser ce carcan. D'une part, les initiatives sont venues de la base, et non d'en haut, et elles ont fusé de partout. Le ministère de l'Éducation n'a pas précédé le mouvement; il l'a suivi. D'autre part, comme les causes du décrochage varient beaucoup selon les élèves et les milieux, les solutions apportées ne sont pas nécessairement les mêmes d'une classe, d'une école ou d'une région à l'autre. Cerise sur le gâteau: les entreprises locales sont de plus en plus nombreuses à s'engager dans le combat.

En matière de persévérance scolaire, une question fondamentale se pose: que faire des adolescents qui éprouvent des difficultés personnelles, familiales ou scolaires, qui sont démotivés et qui vont à l'école seulement parce que leurs parents les y obligent? Il n'y a pas qu'une réponse possible. L'école secondaire Paul-Germain-Ostiguy (PGO), à Saint-Césaire, qui accueille 750 élèves de cinq municipalités de la Montérégie, a trouvé la sienne.

Cette école offre un programme d'alternance études-travail à une centaine d'élèves des 3e, 4e et 5e années du secondaire. Ce sont tous des décrocheurs potentiels. Les participants vont en classe trois jours par semaine et doivent terminer leur scolarité en français, en anglais et en mathématiques, en plus de suivre des cours d'initiation au monde du travail. Les deux autres jours de la semaine, ils sont en stage non rémunéré dans une entreprise. Ils sont alors sous la responsabilité d'employés qui deviennent souvent des mentors et qui peuvent jouer un rôle important dans leur vie. À la fin du secondaire, les élèves obtiennent une attestation de capacité dans le métier abordé, par exemple comme aide-boulanger, aide-soudeur, aide-usineur, auxiliaire de bureau, commis de vente, etc. Le ministère de l'Éducation s'est fait tirer l'oreille, mais il a finalement reconnu la valeur de ce programme.

Les entreprises de la région s'impliquent avec enthousiasme dans le programme. Les stages ne manquent pas et l'offre vient de secteurs aussi divers que l'agriculture, la fabrication, le commerce, l'hébergement, la restauration et les services. Les employeurs s'engagent par contrat à valoriser l'éducation, à soutenir les jeunes jusqu'à l'obtention de leur diplôme, à favoriser leur assiduité à l'école et au travail et à leur offrir un horaire flexible en période d'examens.

En fait, c'est tout le milieu régional qui participe aux efforts de PGO : le personnel de l'école, les familles, les entreprises, les organismes communautaires, les municipalités, la commission scolaire des Hautes-Rivières, la direction montérégienne du ministère de l'Éducation. Ce n'est pas une abstraction : un colloque sur la persévérance scolaire organisé par l'école en février dernier a attiré plus de 120 personnes venant des cinq petites municipalités du territoire, dont les représentants de 56 entreprises.

Est-ce que ça marche ? À plein. En juin 2009, le taux de réussite des élèves finissant ce programme en 5e secondaire a été de 82,5 %. (Rappelez-vous : il s'agissait de décrocheurs potentiels.) Tous ceux qui ont fait une demande d'admission dans le secteur professionnel de la commission scolaire ont été acceptés. Une telle performance n'est ni plus ni moins que spectaculaire, sur le plan économique comme sur le plan humain.

L'an dernier, afin de souligner cette réussite, le Regroupement des commissions scolaires de la Montérégie a décerné son prix Partenariat pour la persévérance scolaire à l'enseignante responsable du programme d'alternance études-travail à PGO, Marie-Pierre Gibson, et au directeur de l'école, Paul-André Boudreau.

Immobile, le Québec ? Vous m'en conterez tant. (La version originale de ce texte a été publiée en mai 2010.)

CHAPITRE 13 // À L'INTERNATIONAL

Agrandissons la patinoire économique !

Le libre-échange, c'est la liberté pour nos entreprises d'exporter sans entraves dans un pays étranger, en échange de la même liberté d'accès des entreprises de ce pays à notre territoire. Dans le domaine économique, c'est l'équivalent des Jeux olympiques. Nos entreprises sont forcées de se battre contre les meilleures. C'est le seul moyen pour elles de parvenir au sommet mondial de l'excellence. La patinoire est agrandie pour tous. On accroît ainsi la création d'emplois et de richesse et on profite d'un plus grand éventail de produits, à meilleur prix.

Est-ce bien ce qu'on a constaté depuis l'entrée en vigueur de l'Accord de libre-échange entre le Canada et les États-Unis, en 1989 ? La réponse que donne le tableau de la page 152 est affirmative. De 1989 à 2007, la vente de produits québécois au Québec et ailleurs au Canada n'a progressé que de 21 % en volume. Pendant ce temps, nos ventes à l'étranger ont augmenté sept fois plus, soit de 153 %. Et non, ce bond de nos exportations n'est pas dû au huard bon marché, puisque le dollar canadien valait plus cher en 2007 qu'en 1988.

Il n'y a qu'un mot pour caractériser l'essor de nos exportations à l'étranger depuis 20 ans : fulgurant. Et qu'une cause possible : l'accord de libre-échange avec les États-Unis, qui a libéralisé l'accès de nos entreprises au marché américain et fouetté leurs ambitions sur le plan international.

Cela doit nous encourager à aller plus loin, dans deux directions. Premièrement, en consolidant l'accord de 1989, qui est devenu l'Accord de libre-échange nord-américain (ALENA) en 1994, lorsque le Mexique en est devenu un des cosignataires. Deuxièmement, en négociant de nouveaux partenariats économiques avec les pays d'Europe, d'Amérique latine et d'Asie.

Consolider l'ALENA signifie qu'on devrait ériger des défenses plus efficaces contre la tentation protectionniste, qui est toujours présente au Congrès américain. La stupide guerre du bois d'œuvre

VENTES DE PRODUITS QUÉBÉCOIS AU CANADA ET À L'ÉTRANGER EN 1988 ET EN 2007
(EN MILLIARDS DE DOLLARS CONSTANTS DE 2002)

Année	Ventes au Canada	Ventes à l'étranger
1988	142	37
2007	172	93
Variation	+ 21 %	+ 153 %

a assez duré. Cela signifie également qu'on devrait rendre plus fluide le transport des marchandises d'un côté à l'autre de la frontière canado-américaine. Les coûteux retards dont est victime le trafic transfrontalier doivent cesser. Le Canada n'est pas sans disposer d'atouts dans les négociations à entreprendre : mentionnons ses ressources énergétiques et sa contribution à la sécurité du continent.

Étendre le libre-échange à d'autres contrées est aussi impératif. Les négociations du cycle de Doha (capitale du Qatar) sont en cours depuis 2001 entre les 153 pays membres de l'Organisation mondiale du commerce (OMC). Elles concernent au premier chef les échanges internationaux de denrées agricoles et de services. Ces négociations sont présentement dans l'impasse. Il faut espérer qu'elles reprendront lorsque l'économie mondiale sera sortie de la récession actuelle.

Des ententes de pays à pays sont également souhaitables. Depuis une décennie, le Canada a signé des accords de libre-échange bilatéraux avec Israël, le Chili, le Costa Rica, le Pérou, l'Islande, la Norvège et la Suisse. D'autres pourparlers sont en cours, notamment avec la Corée du Sud et Singapour.

Une initiative particulièrement bien avisée est celle du premier ministre Jean Charest. Il est intervenu à maintes reprises depuis deux ans pour promouvoir un partenariat économique avec les 27 pays membres de l'Union européenne. L'Europe est séparée de nous par l'océan Atlantique, mais sa production intérieure est aussi importante que celle des États-Unis: 15 000 milliards de dollars par année. Agrandir notre patinoire économique pour y inclure ce continent serait très avantageux pour nous. Il faut espérer que le sommet Canada-Union européenne, qui doit avoir lieu en mai prochain, réussira à lancer les négociations sur ce grand projet.

La géographie étant incontournable, il ne fait aucun doute que les États-Unis resteront notre premier partenaire commercial. Mais il est un principe qui est lui aussi incontournable: ne pas mettre tous ses œufs dans le même panier. Des accords de libre-échange avec un grand nombre de pays serviront mieux nos intérêts qu'une entente unique avec notre grand voisin — sympathique, mais pas toujours commode. (La version originale de ce texte a été publiée en avril 2009.)

Parfum d'Asie

Deux phénomènes extraordinaires ont marqué l'économie du globe depuis 30 ans: la mondialisation et l'essor de l'Asie. Ils exercent maintenant une grande influence sur notre destinée.

Nous avons grandement bénéficié de la mondialisation de la finance. Par le jeu de l'offre et de la demande, les centaines de milliers de milliards de dollars de capitaux qui sont en circulation dans le monde ont permis aux taux d'intérêt d'atteindre les niveaux les plus bas jamais enregistrés. De cette façon, la mondialisation financière s'avère un puissant accélérateur et diffuseur de la croissance économique mondiale.

Malheureusement, elle a aussi un côté sombre. On a vu, depuis 15 ans, qu'elle accroît les dangers de pandémie financière, de récession mondiale, d'effondrement des pays endettés et d'instabilité des monnaies. L'une des principales tâches des pays membres du G20 dans les années à venir sera de contenir ces risques terribles que la mondialisation financière fait courir à toute la planète. Ce n'est pas gagné d'avance.

La mondialisation n'est pas seulement financière. Elle est aussi commerciale. Depuis 30 ans, les exportations internationales ont augmenté deux fois plus que la production mondiale. Les barrières au commerce ont été abaissées. Les accords de libre-échange comme l'ALENA, qui lie les États-Unis, le Canada et le Mexique, se sont multipliés. L'économie du Québec est maintenant une économie commerçante qui exporte hors de ses frontières la moitié de ce qu'elle produit.

En même temps que l'économie de la planète s'est mondialisée, son centre de gravité s'est déplacé à grande vitesse vers l'Asie. Comme l'indique le tableau ci-dessous, la contribution de l'Asie à la production mondiale a grimpé de 15 points en 30 ans. En exacte contrepartie, l'apport de l'Amérique du Nord et de l'Europe occidentale a baissé de 15 points. Si la tendance se maintient, l'Orient coiffera l'Occident en 2019.

Ce sont la Chine et l'Inde qui représentent les fers de lance de l'essor asiatique. Ensemble, ces deux pays font 320 fois la population du Québec et 8 fois celle des États-Unis. Leurs économies progressent au taux exponentiel de 10 % par année, contre 2,5 %

CONTRIBUTION DES DIVERSES RÉGIONS DU MONDE À LA PRODUCTION PLANÉTAIRE

Région	1980	2010	Changement
États-Unis et Canada	27 %	22 %	- 5 points
Union européenne	31 %	21 %	- 10 points
Asie	20 %	35 %	+ 15 points
Autres régions	22 %	22 %	0 point
Monde entier	100 %	100 %	...

pour l'économie nord-américaine. Le Fonds monétaire international prévoit que, par sa taille, l'économie chinoise accédera au premier rang mondial en 2016 et que l'Inde s'installera au troisième rang, derrière les États-Unis et la Chine, dès 2012.

Avec l'arrivée soudaine de la Chine et de l'Inde dans le circuit mondial depuis 20 ans, la main-d'œuvre planétaire s'est enrichie de 1,2 milliard de nouveaux travailleurs, dont la majorité reçoit de très faibles salaires. En conséquence, un nombre important de nos travailleurs peu scolarisés, déjà bousculés par les changements technologiques, ont perdu leur emploi au profit de travailleurs asiatiques encore moins bien payés. Ceux des nôtres qui ont eu la chance de conserver leur emploi ont souvent vu leur salaire stagner ou diminuer.

Comment tirer notre épingle du jeu dans ce nouveau contexte? Tout d'abord, il faut maintenir et améliorer l'accès de nos entreprises exportatrices aux grands marchés — américain, européen, asiatique ou autre — par des accords de libre-échange.

Il faut aussi protéger nos travailleurs contre la déqualification due aux changements technologiques et à la concurrence extérieure. Le seul moyen, c'est un effort redoublé en faveur de la persévérance scolaire et de la formation continue.

Ensuite, il faut reconnaître que notre capital d'entreprises est précieux. Il peut aller et venir en un clic. Le combattre en lui infligeant des réglementations exagérées, des impôts excessifs ou des coûts de main-d'œuvre supérieurs à la valeur créée est une stratégie perdante. Elle entraîne invariablement la fuite des capitaux, la baisse de l'investissement, la hausse du chômage et l'affaiblissement des salaires. Il faut imposer les riches en proportion de leurs moyens, mais pas de façon punitive.

Enfin, il est impératif d'assurer le développement durable de nos ressources énergétiques, de nos forêts et de nos mines. Car l'appétit des économies asiatiques pour les ressources naturelles est dévorant. Ce qui est tant mieux pour nos régions! (La version originale de ce texte a été publiée en avril 2011.)

États-Unis : mauvais karma

Plusieurs maux affligent présentement l'économie américaine. Le marché financier est mal réglementé. Depuis les années 1970, les Américains sont devenus très permissifs en matière de prise de risque bancaire. Leur foi exagérée dans les vertus autorégulatrices du marché leur a fait négliger d'encadrer les nouvelles institutions financières qui sont apparues (banques d'investissement, holdings bancaires, fonds de couverture) de même que les nouveaux produits financiers (ou dérivés) qui ont été lancés. En conséquence, les crises financières se sont succédé. On a eu la crise des sociétés de crédit hypothécaire dans les années 1980, des « technos » en 2001, de l'immobilier en 2007 et des banques en 2008.

Ces deux derniers épisodes ont entraîné une énorme chute — 120 000 dollars — du patrimoine de la famille américaine moyenne. Le crédit s'est contracté, les ménages et les entreprises ont cessé net de dépenser, et le pays a sombré dans sa plus grave récession en 80 ans. En 2008 et 2009, l'économie a perdu en tout neuf millions d'emplois, alors qu'elle en aurait gagné trois millions en temps normal. Trois ans plus tard, en 2012, le taux d'emploi végète encore dans les profondeurs. On ne parle plus d'une récession, mais d'une minidépression.

La tranche la plus riche des Américains s'en sort néanmoins très bien. La part du revenu national captée par le 1 % le plus riche a connu une ascension vertigineuse depuis 35 ans. Elle est passée de 9 % en 1977 à 24 % en 2007, avant de subir une baisse passagère en 2008-2009. Les conséquences de cette concentration extrême sont inquiétantes, pour la démocratie comme pour l'économie. Avec autant d'argent, cette richissime élite finance l'élection des membres du Congrès et du Sénat qui font son affaire. En retour, le Congrès vote des lois qui favorisent les très riches. On se renvoie l'ascenseur.

Aucun changement de tendance n'est en vue. Le Congrès républicain bloque toute expansion des dépenses fédérales (infrastructures, transferts aux États, etc.) qui pourrait enfin lancer la reprise. Quant à la réglementation financière, le candidat républicain à l'élection présidentielle de novembre prochain, Mitt Romney, a promis de démanteler le début de réforme que le président Obama a fait voter par le Congrès en 2010. Sa campagne est massivement appuyée par Wall Street. Pendant ce temps, la part du revenu national absorbée par le 1 % le plus riche a remonté depuis le creux de 2009. Cerise sur le gâteau, le candidat Romney a annoncé de nouvelles réductions d'impôt en faveur des plus riches s'il est élu.

Le Québec est jusqu'ici largement exempt des maux qui affligent les États-Unis. Premièrement, le système financier canadien, qui encadre les institutions québécoises, est généralement considéré comme le plus fiable au monde. Deuxièmement, pendant la récession de 2008-2009, la chute de l'emploi au Québec a été trois fois moins prononcée qu'aux États-Unis, et depuis lors, nous avons récupéré presque tout le terrain perdu. Troisièmement, juste avant la récession, la concentration de la richesse parmi le 1 % le plus riche chez nous absorbait 11 % du revenu national, soit moins de la moitié des 24 % enregistrés aux États-Unis. Les riches du Québec sont moins nombreux, moins riches et plus imposés qu'au sud.

Néanmoins, ce qui se passe aux États-Unis n'est pas sans conséquence pour le Canada et le Québec. L'emploi et le revenu chez nous dépendent de la vigueur de l'économie américaine. Et l'instinct d'imitation avéré du gouvernement Harper pour ce qui est des politiques conservatrices américaines a de quoi faire peur. (La version originale de ce texte a été publiée en septembre 2012.)

***

REMERCIEMENTS

IL Y A 15 ANS, JE ME SUIS JOINT À L'ÉQUIPE des collaborateurs de *L'actualité* à l'invitation de la rédactrice en chef, Carole Beaulieu. C'était un honneur et un défi.

Un honneur, parce que *L'actualité* était, et est encore, le plus grand et le plus populaire des magazines du Québec. Il réunit quelques-uns et quelques-unes des plus grands et des plus grandes journalistes d'ici.

Un défi, parce que l'objectif consistait à analyser la vie économique — un domaine que beaucoup trouvent rébarbatif — de façon intéressante et vraie, dans un langage clair et accessible, et dans une suite de chroniques de format compact.

J'ai énormément bénéficié des patients efforts de Carole Beaulieu, et successivement de Gilles Lajoie, J.-Bernard Faucher, Ginette Haché et Charles Grandmont, pour me guider dans mon métier de chroniqueur. Chantale Cusson, Lucie Daigle, Dominique Pasquin et Claude Aubin ont surveillé mon style, Jocelyne Fournel a ajouté son talent artistique pour la mise en pages.

Pour la préparation de ce livre, j'ai profité du flair de Paule Beaugrand-Champagne. J'ai une insigne dette de reconnaissance envers tous.